Quand les bateaux s'en vont
Je reste le dernier
À jeter, immobile,
Une dernière amarre

À regarder dans l'eau
Qui s'agite et répare
La place qu'il prenait
Et qu'il faut oublier

Gilles Vigneault
Quand les bateaux s'en vont

En Croisière
sur le Saint-Laurent et le Saguenay

Photo d'ouverture : Le Queen Mary 2 *quitte le port de Québec.*

Design graphique : Nicole Lafond
Traitement des images : Mélanie Sabourin
Révision : Robert Pellerin
Correction : Céline Sinclair

Catalogage avant publication de Bibliothèque et Archives nationales du Québec et Bibliothèque et Archives Canada

Ouellet, Yves

En croisière sur le Saint-Laurent et le Saguenay

1. Saint-Laurent, Région du - Ouvrages illustrés. 2. Saguenay (Québec : Région) - Ouvrages illustrés. 3. Saint-Laurent (Fleuve). 4. Saguenay, Rivière (Québec). I. Dumas, Alain. II. Titre.

FC2756.O93 2008   917.140022'2   C2008-940486-6

Pour en savoir davantage sur nos publications,
visitez notre site : **www.edhomme.com**
Autres sites à visiter : www.edjour.com
www.edtypo.com • www.edvlb.com
www.edhexagone.com • www.edutilis.com

03-08

Dépôt légal : 2008
Bibliothèque et Archives nationales du Québec

ISBN 978-2-7619-2190-9

DISTRIBUTEURS EXCLUSIFS :
• Pour le Canada et les États-Unis :
  MESSAGERIES ADP★
  2315, rue de la Province
  Longueuil, Québec J4G 1G4
  Tél. : 450 640-1237
  Télécopieur : 450 674-6237
  ★ filiale du Groupe Sogides inc.,
     filiale du Groupe Livre Quebecor Media inc.
• Pour la France et les autres pays :
  INTERFORUM editis
  Immeuble Paryseine, 3, Allée de la Seine
  94854 Ivry CEDEX
  Tél. : 33 (0) 4 49 59 11 56/91
  Télécopieur : 33 (0) 1 49 59 11 33
  Service commandes France Métropolitaine
  Tél. : 33 (0) 2 38 32 71 00
  Télécopieur : 33 (0) 2 38 32 71 28
  Internet : www.interforum.fr
  Service commandes Export – DOM-TOM
  Télécopieur : 33 (0) 2 38 32 78 86
  Internet : www.interforum.fr
  Courriel : cdes-export@interforum.fr
• Pour la Suisse :
  INTERFORUM editis SUISSE
  Case postale 69 – CH 1701 Fribourg – Suisse
  Tél. : 41 (0) 26 460 80 60
  Télécopieur : 41 (0) 26 460 80 68
  Internet : www.interforumsuisse.ch
  Courriel : office@interforumsuisse.ch
  Distributeur : OLF S. A.
  ZI. 3, Corminboeuf
  Case postale 1061 – CH 1701 Fribourg – Suisse
  Commandes : Tél. : 41 (0) 26 467 53 33
              Télécopieur : 41 (0) 26 467 54 66
              Internet : www.olf.ch
              Courriel : information@olf.ch
• Pour la Belgique et le Luxembourg :
  INTERFORUM editis BENELUX S. A.
  Boulevard de l'Europe 117, B-1301 Wavre – Belgique
  Tél. : 32 (0) 10 42 03 20
  Télécopieur : 32 (0) 10 41 20 24
  Internet : www.interforum.be
  Courriel : info@interforum.be

Gouvernement du Québec – Programme de crédit d'impôt
pour l'édition de livres – Gestion SODEC – www.sodec.gouv.qc.ca

L'Éditeur bénéficie du soutien de la Société de développement des
entreprises culturelles du Québec pour son programme d'édition.

Le Conseil des Arts du Canada
The Canada Council for the Arts
Fonds du nouveau millénaire   Millennium Fund

Nous remercions le Conseil des Arts du Canada de l'aide accordée
à notre programme de publication.

Nous reconnaissons l'aide financière du gouvernement du Canada
par l'entremise du Programme d'aide au développement de
l'industrie de l'édition (PADIÉ) pour nos activités d'édition.

TEXTE
Yves Ouellet

PHOTOGRAPHIES
Alain Dumas

En Croisière
sur le Saint-Laurent
et le Saguenay

LES ÉDITIONS DE
L'HOMME

Ci-dessus et en haut à droite : Les armateurs profitent de l'escale à Québec pour procéder au ravitaillement et à l'entretien des navires.

Plus que jamais, la croisière fait partie de l'univers touristique et maritime du Saint-Laurent. En haut à gauche : le Queen Elizabeth 2 ; *ci-dessus :* l'Enchantment of the Seas.

PRÉFACE

Avec un taux annuel de progression de 8 % – le même que celui de l'économie chinoise –, la croisière affiche l'indice de croissance le plus élevé de toutes les activités de l'industrie du voyage. Ainsi, de 1970 à 2007, le nombre de passagers est passé de 500 000 à 12,5 millions. Plus de la moitié d'entre eux en sont à leur deuxième, troisième... voire dixième expérience. Ces croisiéristes ont visité les Antilles plusieurs fois, navigué en Méditerranée, en Alaska et, souvent, en Amérique du Sud. Ils réclament maintenant de nouveaux itinéraires, et la croisière « en eau froide » répond à cette demande.

L'Alaska voit défiler 1,5 million de passagers par année. Les croisières dans l'estuaire du Saint-Laurent n'attirent encore que 100 000 personnes en moyenne par année. Les spécialistes s'attendent cependant à voir la demande monter en flèche. Et l'offre aussi : au cours des 7 dernières années, les compagnies de croisières ont effectué pas moins de 88 mises à l'eau de nouveaux et de plus en plus gros paquebots !

C'est dans ce contexte que l'Association des croisières du Saint-Laurent (ACSL) veut positionner l'estuaire du fleuve comme une des grandes destinations de croisières de demain. Et elle y réussira probablement. De Gaspé à Saguenay, en passant par Baie-Comeau, les autorités portuaires s'y préparent déjà en aménageant des installations adéquates.

Avec ce livre, Yves Ouellet et Alain Dumas aideront les amateurs à se préparer et à se souvenir. Ils rappellent que le Saint-Laurent et son affluent, le Saguenay, ont une longue tradition en matière de croisières. Ils décrivent les escales, les navires qui remontent actuellement le fleuve jusqu'à Québec ou Montréal et livrent une série d'indications et de conseils qui sont autant d'invitations au voyage et qui aideront le néophyte à apprécier son périple maritime.

De tous les livres traitant des croisières sur le Saint-Laurent, c'est actuellement le plus complet et il le restera longtemps, car on imagine mal comment on pourrait en dire plus sur le sujet et comment on pourrait l'illustrer avec plus de brio.

André Désiront, chroniqueur de tourisme

TOURISME
ET CROISIÈRE

Le Queen Mary 2 est comme une nouvelle ville flottante devant la plus ancienne cité du continent au nord de Mexico.

Queen Mary 2
SOUTHAMPTON

DU VOYAGE
AU PLAISIR

Parlons d'abord et avant tout du plaisir que procurent le voyage et la croisière. De la palette de couleurs, de la gamme d'odeurs et de l'infinité de frissons qu'ils inspirent. Des craintes et des angoisses qu'ils suscitent aussi, depuis les préparatifs jusqu'au départ.

Le plaisir premier du voyage survient dès l'apparition de l'idée initiale ou de l'étincelle à l'origine du feu d'artifice. Au moment où germe l'idée de voyage, le rythme de vie s'accélère, le temps défile plus vite, les horizons s'élargissent. La griserie du choix de la destination est le premier plaisir à se manifester. L'Asie? Les Caraïbes? La Méditerranée ou, pourquoi pas, une croisière différente sur les eaux de l'Atlantique Nord et du fabuleux fleuve Saint-Laurent? Et pour les plus téméraires, il y a le choix laissé au hasard d'un index posé sur un globe.

Les préparatifs font également partie des satisfactions. Quel plaisir de voir dans la chambre la valise ouverte qui rappelle le départ imminent! Les croisiéristes les plus jouisseurs prennent d'ailleurs des semaines à faire leurs valises, à trier leurs vêtements étalés sur le lit, se demandant lesquels ils porteront sur les ponts ou à la soirée du commandant. Mais peu importe, de toute façon : il manque toujours quelque chose.

Au moment du départ, une douce euphorie gagne le voyageur, laissant derrière lui les nuits d'insomnie et leurs rêves abondants. Il y a finalement la course vers l'aéroport d'où l'avion, qui, paradoxalement, a failli tuer la croisière transatlantique dans les années 1960, conduit maintenant les croisiéristes aux quais d'embarquement des plus grands navires du monde.

En mettant pied sur un de ces magnifiques paquebots, le croisiériste pénètre dans un univers qui évolue sous une bulle de verre, où il n'y a place que pour la jouissance. Il s'engage dans une aventure qui le plonge dans une vie de luxe, où il devient le centre d'un univers qui n'existe que pour lui. Au moment où le navire quitte le quai, les préoccupations habituelles, les soucis et le tumulte passent par-dessus bord. Durant quelques jours, la société se recompose quotidiennement autour de celui ou de celle que le voyageur aime et avec qui il peut enfin partager de merveilleux moments d'intimité et de joie. Cette société se peuple de nouveaux amis, de belles rencontres et d'un personnel extrêmement attentif aux moindres désirs des passagers.

Le plaisir de voyager se nourrit de découvertes, d'aventures, de dépaysement, d'exotisme, de rencontres, de saveurs, d'odeurs, de couleurs, de sensations et de bruits. Autant d'éléments étrangers que l'on apprend à apprécier et à distinguer à force de voyager. Les doux effluves de la mer et du fleuve, le son du piano dans l'atrium du paquebot ou les trépidations de l'accostage, le délicat mouvement du bateau bercé par la vague, les heures de détente : il faut savoir y goûter pleinement et les imprégner dans sa mémoire jusqu'à ce que certaines odeurs soient irrémédiablement associées à des expériences mémorables, à des pays ou à des cultures qui enrichissent nos esprits. Voilà comment rendre le voyage toujours présent. Les plaisirs du voyage se prolongent en effet bien au-delà du retour, ils survivent dans les rêves et dans les photos, dans leur récit et dans l'évocation d'anecdotes mémorables. Ils enrichissent la vie du voyageur jusqu'à faire de lui un être meilleur, plus tolérant, plus humain, plus vivant.

Le QUEEN MARY 2 · *Héritier de la plus importante tradition de navigation transatlantique, le RMS Queen Mary 2 continue de traverser l'Atlantique avec à son bord les croisiéristes les plus privilégiés du monde. Plus haut que l'Empire State Building, le Queen Mary 2 était, au moment de sa mise à l'eau, le plus grand navire de passagers au monde. Il a perdu ce titre en 2006 au profit du Freedom of the Seas et de ses jumeaux Liberty of the Seas et Independance of the Seas, de la Royal Caribbean International. Il reste toutefois le plus grand et le plus prestigieux navire à naviguer sur le Saint-Laurent.*

R.M.S "Alsatian" lea

...ıng Quebec. July 30-14...

L'avènement de la navigation transatlantique déclenchera une course effrénée contre la montre qui débutera en 1841.

LE TEMPS DES EXPLOITS

L'idée de «tourisme» voit le jour dès le XVIe siècle, avec l'apparition de ce qui peut être considéré comme le premier circuit touristique : le Grand Tour. Il s'agit essentiellement de l'itinéraire que parcourent les jeunes aristocrates britanniques en compagnie de leur précepteur durant plusieurs mois, voire plusieurs années en Europe continentale. Caractérisé par la visite des sites incontournables de l'époque de même que par des escales dans les grands centres culturels, ce périple, à mi-chemin entre le voyage initiatique et la formation académique, s'étendra plus tard à d'autres classes sociales ainsi qu'à d'autres nationalités.

L'intérêt pour la seule beauté des sites naturels n'apparaît qu'au XVIIIe siècle. Le nouveau «touriste», avide de chefs-d'œuvre romantiques, historiques et oniriques, se lance alors à la recherche de paysages grandioses qui correspondent à la force de ses sentiments. Le voyage en bateau lui permet d'exalter les plus grandes émotions, alliant aventure et romantisme. La navigation sur le Rhin, la route navale reliant l'Allemagne et les Pays-Bas, lui permet de découvrir des paysages prodigieux. Cette période marque le début du tourisme maritime en Europe et de ce qu'on appellera, bien plus tard, les «croisières-excursions». Le phénomène croît significativement avec l'avènement du bateau à vapeur, mais il est freiné par le développement des réseaux ferroviaires, tout comme la navigation transatlantique le sera plus tard par la popularité de l'avion.

L'époque est marquée par une évolution technologique accélérée et par une rivalité féroce entre les navires, les capitaines et les compagnies. Malgré cette rivalité, l'esprit chevaleresque occupera longtemps une place importante dans l'épopée de la navigation transatlantique. Un phénomène qui s'est amorcé avec l'apparition de la navigation à vapeur.

Les modestes débuts de la navigation à vapeur en Europe remontent au printemps 1819, avec la mise à la mer du *Savannah* de Liverpool, un petit bateau hybride combinant la voile et la vapeur, comme ce fut le cas pour plusieurs bateaux pendant quelques décennies : la résistance au changement et la méfiance envers l'innovation des temps modernes expliquent peut-être cette ambivalence. Avec ses trois mâts, entre lesquels trône une cheminée imposante, le *Savannah* est le premier vapeur à réussir la traversée de l'Atlantique, et ce, même si ses roues à aubes n'ont fonctionné que 80 heures durant un voyage qui s'est étiré sur 28 jours.

Le premier bâtiment à réaliser la traversée de l'Atlantique en utilisant uniquement la propulsion à vapeur de 200 chevaux de puissance, bien qu'il ait été lui aussi muni de voiles, est un navire de 370 tonneaux construit au Québec par Robert Black, en 1831, et armé par la Quebec and Halifax Steam Navigation Company : le *Royal William*. Parti de Pictou, en Nouvelle-Écosse, le 11 août 1833, le *Royal William* mit 22 jours pour franchir l'Atlantique à une vitesse de croisière de 4 à 5 nœuds.

La grande ère des croisières transatlantiques, qui se traduit par la construction inflationniste des paquebots, participe activement à l'histoire bouleversante de l'émigration européenne vers l'Amérique du Nord.

Les croisières transocéaniques ont prévalu sur une période d'un siècle, soit de 1860 à 1960, année où l'avion a définitivement pris le relais. Durant cette période, c'est sur la ligne Atlantique que naviguent les paquebots les plus fastueux, les plus titanesques, les plus prestigieux.

La participation des paquebots aux mouvements migratoires massifs commence dès la seconde moitié du XIXe siècle pour se terminer en 1924, alors que les lois américaines imposent davantage de limites à l'immigration. « Si, pour les plus riches, c'est une nouvelle invitation à l'aventure, au luxe, à l'évasion, pour des millions d'émigrants, c'est l'occasion d'aller vers une nouvelle vie dans de nouveaux mondes », explique Robert Fox dans son ouvrage intitulé *Liners*.

Au milieu des voiliers, les premiers bateaux à vapeur font leur apparition devant Québec dès la première moitié du XIXe siècle.

Le *Royal William*

Le *Royal William*, en plus de marquer l'histoire de l'industrie navale, confirme le rôle précurseur du Québec et du Canada dans le domaine de la navigation transatlantique. Ce bateau à vapeur fut construit à Québec pour le compte de la Quebec and Halifax Steam Navigation Company, copropriété de Samuel Cunard, le marchand de charbon de Halifax à l'origine de la célèbre compagnie qui porte son nom. Le lancement du navire, le 29 avril 1831, est un événement important qui attire une foule nombreuse au port de Québec. En 1833, le *Royal William* devient le premier navire à vapeur à traverser l'Atlantique uniquement grâce à cette force motrice, en 22 ou 25 jours selon des sources discordantes, ce qui constitue un exploit remarquable à l'époque. Issu d'une longue tradition de construction navale, le *Royal William* fit l'objet de plusieurs centaines d'ouvrages spécialisés. En 1840, il connut toutefois une fin dramatique à Bordeaux, en France, lorsqu'on le dépouilla de ses moteurs.

• • •

Le 17 août 1933, les Postes Canadiennes produisirent un timbre de collection à l'effigie du Royal William pour commémorer le centenaire de sa traversée.

LA CUNARD

Dès les débuts de la navigation à vapeur, une compagnie s'impose, la Cunard, du nom de la plus grande dynastie d'armateurs de l'histoire. Les frères Cunard, Samuel, Henry et Joseph, ont d'abord été associés à la Quebec and Halifax Steam Navigation Company. Samuel, plus particulièrement, est à l'origine de cette fabuleuse odyssée alors qu'il met sur pied en 1840 le premier service transatlantique régulier avec le *Britannia*. À cette époque, le transport de passagers ne peut à lui seul rentabiliser les opérations maritimes ; pour se maintenir à flot, les armateurs doivent assurer le transport de la poste. C'est le cas de la Cunard du côté britannique et de son principal concurrent, la Collins Line, qui obtient du gouvernement américain un contrat de transport postal pour la desserte de l'Europe.

Avec des bateaux plus grands et plus rapides (l'*Atlantic*, le *Pacific*, l'*Arctic* et le *Baltic*) que ceux de la Cunard, la Collins Line fait d'excellentes affaires de 1840 à 1914, qui correspond à la période d'émigration massive des populations irlandaises, italiennes, polonaises, allemandes et scandinaves. Sir Edward Collins, le fondateur, demeure l'initiateur des croisières somptueuses caractérisées par le grand confort et un service incomparable. Ses bateaux sont dotés de salles de bal et de salles à manger princières. Des stewards guindés servent avec classe une clientèle fortunée qui a également droit à des spectacles de music-hall pour se divertir au cours des longs trajets de part en part des océans.

À gauche : Pour l'élite, la croisière transatlantique est un loisir. Pour la majorité des voyageurs, il s'agit plutôt d'une fuite sans retour vers un monde meilleur.

À droite : La Cunard élabore une série d'affiches sur le Saint-Laurent et un design distinctif qui font rêver du Nouveau Monde.

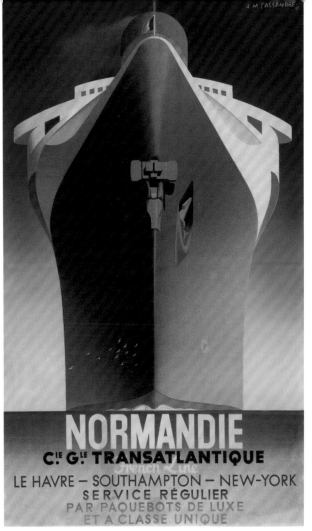

LE RUBAN BLEU

La réduction de la durée des traversées, et par le fait même l'établissement du temps record, demeure un objectif primordial pour les compagnies aussi ambitieuses qu'orgueilleuses. Une véritable lutte à finir fait rage entre elles pour l'obtention du fameux Ruban bleu, la récompense symbolique attribuée au capitaine qui inscrit le temps de traversée de l'Atlantique le plus rapide jamais enregistré. Les principales rivales dans cette course contre la montre sont les deux compagnies britanniques, la Cunard et la White Star Line.

Le *Columbia*, de la Cunard, l'emporte le premier en 1841, quand il effectue le périple d'est en ouest en 10 jours et 19 heures. Les compagnies Inman et Guion gravent également leur nom au panthéon des champions en déjouant les leaders de l'industrie.

À la fin du XIXᵉ siècle, les principaux aspirants au titre sont le *City of Paris* et le *City of New York* de la compagnie Inman, le *Majestic* de la White Star ainsi que les imposants *Campania* et *Lucania* de la Cunard.

Parallèlement à la ligne Atlantique, d'autres routes se développent, dont celle de l'Inde. En 1825, le vapeur *Enterprise* met 103 jours pour relier Londres et Calcutta. De nouvelles compagnies assurent des services réguliers entre l'Angleterre, l'Espagne et le Portugal, l'Australie, la Chine et les îles du Pacifique.

Au début du XXᵉ siècle, la domination des Anglais et des Américains est ébranlée par l'armateur allemand Hamburg Amerika Linie, propriété de l'homme d'affaires Albert Ballin. Au lieu de proposer luxe et vitesse, comme ses rivaux, Ballin mise sur la nouvelle clientèle des émigrants qui quittent de plus en plus nombreux Hambourg à destination des États-Unis où ils sont accueillis sur l'île Ellis, aux portes de New York. On compte 125 000 de ces nouveaux arrivants vers 1880. Entre 1892 et 1920, 12 millions d'immigrants débarquent à l'ombre des premiers gratte-ciel de Manhattan. En 1913 seulement, ils sont près d'un million et demi à avoir pris le ticket aller seulement pour le Nouveau Monde.

En 1914, la Hamburg Amerika Linie, avec ses 194 bâtiments, s'impose largement comme la plus

importante compagnie maritime au monde. Sa principale concurrente, la Norddeutscher Loyd de Brême, ne possède que 135 bateaux. Loin derrière, la White Star Line en a 33 et la Cunard, 29. La course pour le Ruban bleu met donc aux prises ces quatre grandes entreprises.

En 1904, le *Wilhelm II*, de la Norddeutscher Loyd, réussit la traversée en 5 jours, 11 heures et 58 minutes, marque qui tiendra durant 3 ans. La Cunard le détrône ensuite deux fois la même année grâce au *Lusitania* d'abord, puis au *Mauritania* dont le record tiendra jusqu'en 1929. Le *Mauritania* s'avérera d'ailleurs l'un des paquebots préférés des passagers de la Cunard durant 30 ans, soit jusqu'en 1934, année de sa dernière traversée de l'Atlantique et durant laquelle la Cunard fusionne avec la White Star Line.

Au plus fort de cette course aux paquebots les plus rapides, la Cunard met en chantier trois géants des mers à l'aube de la Première Guerre mondiale : le *Gigantic*, l'*Olympic* et le *Titanic*. Naturellement, la réplique d'Albert Ballin ne tarde pas avec la mise en chantier de trois navires gigantesques : l'*Imperator*, le *Vaterland* et le *Bismark*, les premiers bâtiments au monde à dépasser 50 000 tonnes.

C'est le 14 avril 1912, lors de son voyage inaugural, que le *Titanic* sombre au large des côtes de Terre-Neuve. Peu de temps après, le premier conflit mondial met un terme aux croisières, les grands paquebots servant au transport des troupes. Plusieurs d'entre eux, dont le *Lusitania*, iront d'ailleurs par le fond durant les deux Grandes Guerres.

La France ne reste pas indifférente au féroce antagonisme maritime international. Avec le paquebot l'*Île de France*, en 1920, la Compagnie Générale Transatlantique French Line redéfinit les critères d'opulence et d'excellence. Premier château flottant décoré dans le style Art déco, l'*Île de France* inspirera l'aménagement de plusieurs autres bateaux légendaires des années 1930, dont le *Normandie* et le *Queen Mary*.

Étonnamment, la crise économique de 1929 affecte relativement peu le transport maritime. Il s'agit même d'une période plutôt prospère pour la Canadian Pacific dont les lignes sur le Pacifique s'avèrent particulièrement rentables.

En haut : Les plus grands paquebots ont appareillé à Southampton dès le début du xxᵉ siècle. Au centre : L'avènement du Titanic suscite l'apparition d'une multitude de produits dérivés. En bas : En 1914, la Hamburg Amerika Linie s'impose comme la plus importante compagnie maritime au monde. À gauche :
En haut : Considéré comme le plus beau paquebot jamais construit, Le Normandie est aussi le plus grand à sa sortie du chantier en 1932. En bas : La Cunard et la White Star, éternelles rivales dans la course au Ruban bleu.

Le Progrès du Golfe, Rimouski, 5 juin 1914
LE DÉSASTRE DE L'*EMPRESS OF IRELAND*
~ OCEANO NOX ~

Après tout ce qui a été dit et écrit dans les journaux canadiens et américains, aussi bien que dans notre journal, sur cette affreuse catastrophe qui s'est produite pour ainsi dire à la porte de Rimouski et qui restera tristement célèbre comme l'un des plus terribles sinistres maritimes dont l'histoire du monde fasse mention, nous ne croyons pas qu'il soit à propos de nous étendre bien longuement aujourd'hui sur cet affligeant sujet. Nos lecteurs préfèrent sans doute que nous leur donnions cette semaine un précis historique de l'événement d'après les renseignements les plus sûrement établis jusqu'à ce jour.

28 mai 1914 : L'*Empress of Ireland,* ayant à son bord 1477 personnes, dont 1057 passagers et 420 hommes d'équipage, part de Québec à destination de Liverpool, vers 4.35 hrs p.m., sous la conduite du pilote Adélard Bernier ;

29 mai : Vers 2 hrs a.m., quelques minutes après avoir laissé son pilote à la Pointe-au-Père, l'*Empress,* reprenant sa course vers la haute mer, est abordé en face de Sainte-Luce, à 3 milles et demi du rivage, à 10 milles du port de Rimouski, et à 6 milles de la Pointe-au-Père, par le charbonnier *Storstad,* Capt. Andersen, qui se dirigeait vers la Pointe-au-Père, pour prendre son pilote. Environ dix minutes après l'affreuse collision, l'*Empress,* profondément atteint dans ses parties vitales, sombre dans 21 brasses d'eau et périt corps et biens.

Cause de la collision : Un brouillard subit venant de terre.

L'opérateur du marconigramme du navire a eu à peine le temps de lancer à travers l'espace le signal de détresse S.O.S.

L'*Eureka* et le *Lady Evelyn,* avertis de la station Marconi de Pointe-au-Père, se rendent à la hâte sur les lieux du naufrage.

Les quelque 350 survivants qui avaient été recueillis par le *Storstad* sont transportés au quai de Rimouski par le *Lady Evelyn* et l'*Eureka.* Ces deux navires retournent à l'endroit fatal et retirent de l'eau les cadavres de 210 noyés flottant sur les vagues. Plusieurs de ces cadavres sont horriblement mutilés.

Tous les citoyens de Rimouski sont sur pied de bonne heure et rivalisent de cordiale générosité à l'égard des malheureux sinistrés qui ont pu échapper à la mort, et tous, dont la plupart à demi vêtus et grelottant de froid, sont hospitalisés dans les hospices, les hôtels et les résidences des particuliers. Plusieurs de ces réchappés sont sérieusement blessés. Les médecins de notre ville leur prodiguent avec empressement les soins que nécessite la gravité de leur état.

Un train spécial de l'Intercolonial conduit dans l'après-midi ces naufragés à Lévis et Québec.

Les noyés sont mis dans des tombes. Il n'y a pas assez de cercueils dans toute la région pour suffire à la quantité de cadavres.

30 mai : L'enquête du coroner le Dr Pinault est commencée dans la maison d'école du Quai. Après l'audition de quelques témoins, l'enquête est ajournée au samedi suivant 6 juin. Cette enquête sera donc reprise demain.

Le *Lady Grey* arrive au Quai de Rimouski avec mission de transporter tous les cadavres à Québec. Le « navire-cercueil » est escorté jusqu'à Québec par une frégate anglaise, l'*Essex,* sur ordre même de l'Amirauté anglaise, qui veut manifester ainsi la part officielle que prend la grande nation à notre deuil national.

Le *Druid Steamer* du gouvernement pose à l'endroit du sinistre une bouée à gaz, qui seule indique qu'au fond des flots gît, avec près de 900 victimes, l'un des plus grands et des plus somptueux paquebots de l'univers.

Une patrouille d'hommes chargés de surveiller la rive Sud et de prendre soin des cadavres ou débris qui pourront atterrir est établie dans toutes les paroisses riveraines à l'est de Rimouski. On ne sait pas encore si le paquebot coulé pourra être renfloué.

Aucun cadavre n'apparaît sur les flots. Il est probable que toutes les victimes non repêchées sont restées emprisonnées dans les entrailles du navire.

· · ·

L'Empress of Ireland au port de Québec.

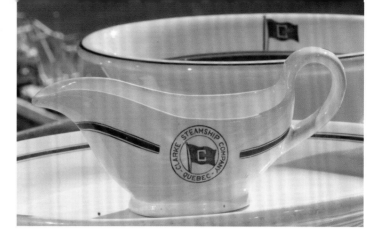

En 1904, afin de marquer son entrée sur l'Atlantique, la Canadian Pacific Railway Company (C. P. R.) commande deux paquebots jumeaux à la Fairfield Shipbuilding and Engineering Company de Govan (Glasgow) en Écosse. Ce seront les plus grands, les plus confortables et les plus rapides de la route pour le Canada.

Le 11 novembre 1905, la C. P. R. lance l'*Empress of Britain*; le 27 janvier 1906, elle effectue la mise à l'eau de l'*Empress of Ireland*. Les deux navires font leur voyage inaugural à l'été 1906, à un peu plus d'un mois d'intervalle. Ils établissent aussitôt des records de vitesse et deviennent rapidement très populaires auprès du public.

Ces deux géants de la mer – ils mesurent 172 mètres de long sur 20 mètres de large – comptent 7 ponts dont le plus élevé est à 14 mètres au-dessus de la ligne de flottaison. Équipés de 2 hélices en bronze de 25 tonnes mues par 2 moteurs à quadruple expansion, ils naviguent à 20 nœuds (37 km/h) en haute mer.

Des 1477 personnes qui embarquent sur l'*Empress of Ireland* à Québec le 28 mai 1914, 1012 vont trouver la mort. À Rimouski, les 465 survivants sont soignés, habillés et nourris. Les corps ramenés du lieu du naufrage sont entreposés dans les hangars du quai.

Pendant des jours, on retourne sur le fleuve à la recherche de cadavres. La nouvelle de cette catastrophe fait le tour du monde. Quant au *Storstad*, il poursuit sa route jusqu'à Montréal, sa proue renfoncée.

De toute évidence, la rapidité du naufrage a défavorisé les personnes qui ne connaissaient pas le navire. Ce n'est donc pas un hasard si 248 membres d'équipage s'en sont sortis, soit presque la moitié des survivants, alors que 840 passagers ont perdu la vie, plus que sur le *Titanic*.

Le Musée de la Mer, situé à Rimouski, consacre la majeure partie de ses expositions à ce drame méconnu qu'il évoque de façon captivante.

*Ces objets proviennent de l'épave de l'*Empress of Ireland* et sont conservés au Musée de la Mer de Rimouski. Ce navire sombra dans le Saint-Laurent le 29 mai 1914, emportant dans la mort 1 012 passagers et membres d'équipage.*

Pour les plus riches, c'est une nouvelle invitation à l'aventure, au luxe et à l'évasion. Le service est assuré par des stewards guindés. On s'amuse sur les ponts et les soirées se passent autour d'un repas gastronomique, puis à la salle de bal.

À gauche : La croisière est souvent une occasion de se retrouver en famille, par exemple à bord de l'Empress of Ireland de la Canadian Pacific Railway Company.

L'ÉPOQUE DES BATEAUX BLANCS

Chaque fois qu'un «bateau blanc» accoste à La Malbaie, à Tadoussac ou ailleurs sur le Saint-Laurent, on accourt de toutes parts pour assister à son arrivée et en voir débarquer les dames affriolantes suivies de messieurs en belle tenue et d'enfants drôlement habillées en robe et chapeau de plage. Ces premiers hôtels flottants peints de blanc dégagent, malgré leur âge, une impression d'opulence, de noblesse et de *dolce vita*. Il s'agit d'abord de vapeurs à aubes puis de petits paquebots spécialement conçus pour le fleuve Saint-Laurent. Ils semblent arriver d'un autre monde, perçant les brumes qui s'élèvent des eaux froides avant que le soleil impose sa chaleur. Le bateau s'annonce de quelques coups de trompe qui retentissent jusqu'au fond des baies et alertent la population. Puis, il grossit et grossit à l'horizon jusqu'à l'obstruer complètement avant de jeter les amarres. Voyager à bord du *Richelieu*, du *Magnet*, du *Montréal*, du *Québec*, de l'*Union*, du *St-Lawrence*, du *Canada* ou du *Saguenay* représente à cette époque le *nec plus ultra* en tourisme, alors qu'on est à inventer la mode des vacances. Le luxe de leurs vastes salons, leurs boiseries munificentes, le service extraordinaire, l'ambiance délicatement bourgeoise et leur chaud décor victorien contribuent à l'engouement qu'ils suscitent même chez les plus difficiles.

Les « bateaux blancs » de la Canada Steamship Lines naviguèrent sur les eaux du Saint-Laurent et du Saguenay de 1913 jusqu'au milieu des années 1960.

Le journaliste et chroniqueur Arthur Buies est l'un des plus fervents voyageurs de son époque. Lui qui a parcouru le Québec dans ses moindres recoins et de toutes les façons écrit ceci dans ses *Petites chroniques pour 1877*:

*Dites-moi quel apéritif équivaut à une heure passée avec le soleil levant sur le pont de l'*Union *ou du* Saguenay, *alors que l'astre gravissant de plus en plus l'horizon inonde de sa lumière la nature sans l'embrasser encore, et que l'air, chargé d'arômes, pur et vigoureux, s'engouffre dans les poumons avides, dans les gosiers haletants! Dites-moi quel plaisir, quelle joie vaut cette ivresse des sens, ivresse tranquille et fortifiante qui entre par tous les pores, qui court par toutes les fibres et qui remplit en même temps l'âme tout entière? Ah! Dieu est bon, de temps à autre, pour sa misérable créature, et la compagnie du Saint-Laurent mérite bien tous les transports de notre reconnaissance!*

Le premier vapeur en Amérique du Nord, le *Clermont*, fait son apparition sur la rivière Hudson en 1807. Dès 1809, John Molson fait construire l'*Accommodation*, le premier vapeur à assurer la liaison Montréal – Québec, un trajet qui nécessite une vingtaine d'heures de navigation. Les croisières dites «de plaisance» débutent sur le Saint-Laurent vers 1830 avec le *Waterloo*, de la St-Lawrence Steamboat Company, propriété de John Molson. Cet industriel exceptionnel, fasciné depuis toujours par les activités maritimes, bâtit sa propre flotte de bateaux vapeur.

Plus tard, à partir de 1853, Tadoussac et le fjord du Saguenay deviennent des destinations privilégiées. Le fjord du Saguenay, entre autres, est largement vanté par les journaux comme une des destinations les plus extraordinaires du nord du continent. Le vapeur *Saguenay*, de la Quebec and Trois-Pistoles Steam Navigation Company, est l'un des premiers à offrir cette croisière. Tadoussac représente naturellement une des étapes favorites de ce périple de trois jours depuis Québec qui coûte alors 12 $. Au quai de l'anse à l'Eau, là où le traversier qui enjambe l'embouchure de la rivière Saguenay accoste aujourd'hui, puis au quai qui se trouve dans la baie par la suite, de nombreuses calèches attendent les passagers pour une visite guidée du village ou pour les conduire à l'hôtel Tadoussac. Le vapeur continue ensuite sa navigation sur le fjord, une expérience inoubliable pour le passager.

Un chroniqueur du *Harper's Magazine* rapporte:

Devant les chutes Niagara, j'ai considéré la parole de l'Homme comme un sacrilège impertinent, mais je n'ai jamais autant senti l'insignifiance de l'action humaine qu'en présence de ces prêcheurs silencieux de la toute-puissance, les caps Trinité et Éternité, avec le ciel illuminé au-dessus de moi, et les eaux profondes, troubles et noires en dessous. Ce fut une leçon d'humilité que je n'oublierai jamais.

Un autre joueur majeur entre bientôt dans cette industrie naissante: la Compagnie du Richelieu lance le légendaire vapeur *Québec* qui sort du chantier maritime de Sorel en 1865. Il est suivi de l'*Union*, du *Clyde*, du *Saguenay*, du *Tadoussac*, du *Richelieu* et du *St-Lawrence*, des noms qui restent encore bien gravés dans l'histoire de la navigation sur le Saint-Laurent. En 1913, les compagnies maritimes fusionnent pour former le géant Canada Steamship Lines qui opère les «bateaux blancs» jusqu'au milieu des années 1960. Encore aujourd'hui, certains de leurs descendants modernes, immenses, passent devant Tadoussac et pénètrent régulièrement dans l'estuaire du Saguenay en arborant des pavillons étrangers.

Publié en 1945, The Children's Book of the Saguenay *raconte aux enfants le déroulement, le trajet et le fonctionnement des croisières sur le Saint-Laurent et le fjord du Saguenay.*

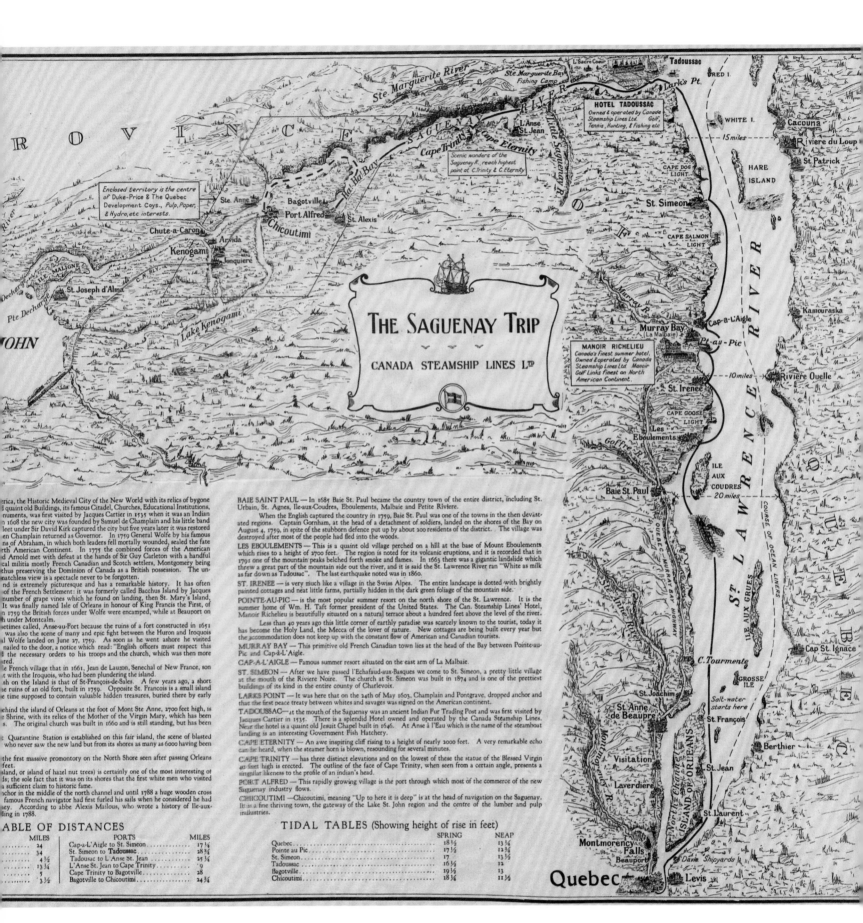

THE SAGUENAY TRIP

CANADA STEAMSHIP LINES LTD

HOTEL TADOUSSAC
Owned & operated by Canada
Steamship Lines Ltd. Golf,
Tennis, Hunting, & Fishing etc

MANOIR RICHELIEU
Canada's finest summer hotel,
Owned & operated by Canada
Steamship Lines Ltd. Manoir
Golf Links finest on North
American Continent.

Scenic wonders of the
Saguenay R. reach highest
point at C.Trinity & C.Eternity.

Enclosed territory is the centre
of Duke-Price & The Quebec
Development Coys., Pulp, Paper,
& Hydro, etc interests.

...erica, the Historic Medieval City of the New World with its relics of bygone
quaint old Buildings, its famous Citadel, Churches, Educational Institutions,
numents, was first visited by Jacques Cartier in 1535 when it was an Indian
in 1608 the new city was founded by Samuel de Champlain and his little band
leet under Sir David Kirk captured the city but five years later it was restored
en Champlain returned as Governor. In 1759 General Wolfe by his famous
ns of Abraham, in which both leaders fell mortally wounded, sealed the fate
rth American Continent. In 1775 the combined forces of the American
d Arnold met with defeat at the hands of Sir Guy Carleton with a handful
cal militia mostly French Canadian and Scotch settlers, Montgomery being
thus preserving the Dominion of Canada as a British possession. The un-
matchless view is a spectacle never to be forgotten.

nd is extremely picturesque and has a remarkable history. It has often
of the French Settlement; it was formerly called Bacchus Island by Jacques
number of grape vines which he found on landing, then St. Mary's Island.
It was finally named Isle of Orleans in honour of King Francis the First,
n 1759 the British forces under Wolfe were encamped, while at Beauport on
under Montcalm.

setimes called, Anse-au-Fort because the ruins of a fort constructed in 1651
was also the scene of many and epic fight between the Huron and Iroquois
al Wolfe landed on June 27, 1759. As soon as he went ashore he visited
nailed to the door, a notice which read: "English officers must respect this
d the necessary orders to his troops and the church, which was then more
ared.

le French village that in 1661, Jean de Lauzon, Senechal of New France, son
who never saw the new land but from its shores as many as 6000 having been
sh on the Island is that of St-François-de-Sales. A few years ago, a short
ne ruins of an old fort, built in 1759. Opposite St. Francois is a small island
e time supposed to contain valuable hidden treasures, buried there by early
ared.

ehind the island of Orleans at the foot of Mont Ste Anne, 2700 feet high, is
Shrine, with its relics of the Mother of the Virgin Mary, which has been
s. The original church was built in 1660 and is still standing, but has been

Quarantine Station is established on this fair island, the scene of blasted
who never saw the new land but from its shores as many as 6000 having been

first massive promontory on the North Shore seen after passing Orleans
feet.

sland, or island of hazel nut trees) is certainly one of the most interesting or
ds; the sole fact that it was on its shores that the first white men who visited
a sufficient claim to historic fame.

nchor in the middle of the north channel and until 1788 a huge wooden cross
famous French navigator had first furled his sails when he considered he had
ney. According to abbe Alexis Mailous, who wrote a history of Ile-aux-
ding in 1788.

BAIE SAINT PAUL — In 1685 Baie St. Paul became the country town of the entire district, including St. Urbain, St. Agnes, Ile-aux-Coudres, Eboulements, Malbaie and Petite Rivière.

When the English captured the country in 1759, Baie St. Paul was one of the towns in the then devastated regions. Captain Gornham, at the head of a detachment of soldiers, landed on the shores of the Bay on August 4, 1759, in spite of the stubborn defence put up by about 200 residents of the district. The village was destroyed after most of the people had fled into the woods.

LES EBOULEMENTS — This is a quaint old village perched on a hill at the base of Mount Eboulements, which rises to a height of 2700 feet. The region is noted for its volcanic eruptions, and it is recorded that in 1791 one of the mountain peaks belched forth smoke and flames. In 1663 there was a gigantic landslide which threw a great part of the mountain side out the river, and it is said the St. Lawrence River ran "White as milk as far down as Tadousac". The last earthquake noted was in 1860.

ST. IRENEE — is very much like a village in the Swiss Alpes. The entire landscape is dotted with brightly painted cottages and neat little farms, partially hidden in the dark green foliage of the mountain side.

POINTE-AU-PIC — is the most popular summer resort on the north shore of the St. Lawrence. It is the summer home of Wm. H. Taft former president of the United States. The Can. Steamship Lines' Hotel, Manoir Richelieu is beautifully situated on a natural terrace about a hundred feet above the level of the river.

Less than 40 years ago this little corner of earthly paradise was scarcely known to the tourist, today it has become the Holy Land, the Mecca of the lover of nature. New cottages are being built every year but the accommodation does not keep up with the constant flow of American and Canadian tourists.

MURRAY BAY — This primitive old French Canadian town lies at the head of the Bay between Pointe-au-Pic and Cap-à-L'Aigle.

CAP-A-L'AIGLE — Famous summer resort situated on the east arm of La Malbaie.

ST. SIMEON — After we have passed l'Echafaud-aux-Basques we come to St. Simeon, a pretty little village at the mouth of the Rivière Noire. The church at St. Simeon was built in 1874 and is one of the prettiest buildings of its kind in the entire county of Charlevoix.

LARKS POINT — It was here that on the 24th of May 1603, Champlain and Pontgrave, dropped anchor and that the first peace treaty between whites and savages was signed on the American continent.

TADOUSSAC — at the mouth of the Saguenay was an ancient Indian Fur Trading Post and was first visited by Jacques Cartier in 1535. There is a splendid Hotel owned and operated by the Canada Steamship Lines. Near the hotel is a quaint old Jesuit Chapel built in 1646. At Anse à l'Eau which is the name of the steamboat landing, is an interesting Government Fish Hatchery.

CAPE ETERNITY — An awe inspiring cliff rising to a height of nearly 2000 feet. A very remarkable echo can be heard, when the steamer horn is blown, resounding for several minutes.

CAPE TRINITY — has three distinct elevations and on the lowest of these the statue of the Blessed Virgin 40 feet high is erected. The outline of the face of Cape Trinity, when seen from a certain angle, presents a singular likeness to the profile of an indian's head.

PORT ALFRED — This rapidly growing village is the port through which most of the commerce of the new Saguenay industry flows.

CHICOUTIMI — Chicoutimi, meaning "Up to here it is deep" is at the head of navigation on the Saguenay. It is a fine thriving town, the gateway of the Lake St. John region and the centre of the lumber and pulp industries.

TABLE OF DISTANCES

MILES	PORTS	MILES
	Cap-a-L'Aigle to St. Simeon	17 1/4
24	St. Simeon to Tadoussac	28 3/4
34	Tadousac to L'Anse St. Jean	25 1/4
4 1/2	L'Anse St. Jean to Cape Trinity	9
13 1/4	Cape Trinity to Bagotville	28
5 1/2	Bagotville to Chicoutimi	24 3/4
3 1/2		

TIDAL TABLES (Showing height of rise in feet)

	SPRING	NEAP
Quebec	18 1/2	13 1/4
Pointe au Pic	17 1/2	12 3/4
St. Simeon	17	13 1/2
Tadoussac	16 1/2	12
Bagotville	19 1/2	13
Chicoutimi	18 1/4	11 1/2

LA CANADA STEAMSHIP LINES

Le plus prestigieux des quatre navires de la Canada Steamship Lines qui naviguent sur le Saint-Laurent à partir de 1927 demeure le *Richelieu*. Affrété pour les croisières d'une semaine, il quitte chaque lundi le quai Victoria du port de Montréal avec, à son bord, plus de 200 passagers dont certains qui embarquent avec famille, bagages et voiture. Il accoste au quai de Tadoussac tous les mercredis pour y passer la nuit. C'est alors la fête au village : feu de camp gigantesque, musique, danse et repas en plein air sont au programme.

Née de la fusion de plusieurs compagnies de navigation qui se partageaient le territoire fluvial et le marché des croisières, la Canada Steamship Lines voit le jour en 1913. Elle est considérée comme la véritable pionnière dans le développement du marché des croisières sur le Saint-Laurent.

Sa flotte de bateaux « a sillonné le fleuve pendant plus d'un demi-siècle, ce qui a permis à ce fleuve d'acquérir une certaine noblesse en termes de navigation de croisière », de l'aveu même du ministère du Tourisme du Québec. Tous ses bateaux sont peints en blanc, si bien que, dans l'esprit populaire, les « bateaux blancs » deviennent irrémédiablement associés à la croisière sur le Saint-Laurent de même qu'à cette période extraordinaire qui voit naître le tourisme et la villégiature. Après un âge d'or, la Canada Steamship Lines a dû affronter les deux Guerres mondiales, la Dépression et la concurrence du transport aérien, jusqu'au déclin final d'une grande époque dont le glas a annoncé officiellement la mort en 1965. L'armateur s'est alors repositionné dans l'industrie du transport maritime où il demeure un chef de file encore aujourd'hui.

« Pendant plus de 150 ans, les vapeurs de service et de croisière sur le Saint-Laurent vont donner naissance à un volet majeur de l'histoire du loisir et du tourisme québécois », souligne l'historien Michel Lessard.

À gauche : Cette carte de la Canada Steamship Lines montre les circuits des « bateaux blancs » sur le Saint-Laurent et le Saguenay.

En haut : Le Québec a marqué l'imaginaire des croisiéristes québécois et des populations des ports d'escale du Saint-Laurent et du Saguenay. On le voit ici dans le port de Montréal. Le 14 août 1950, le Québec prit feu en mer et brûla au quai de Tadoussac, sans faire de victimes. Il s'agissait d'un incendie criminel. En bas : Les affiches de la Canada Steamship Lines mettent en vedette les grandes escales sur le Saint-Laurent.

LA CROISIÈRE MODERNE

Le concept récent de la croisière transatlantique axée sur le plaisir et le loisir à bord d'un «hôtel flottant» apparaît en Europe au début des années 1930 avec les paquebots italiens *Conte di Savoia* et *Rex*. Pour compenser la baisse radicale de l'émigration, la croisière mise davantage sur le cachet du romantisme et de la richesse. Le voyage en Amérique fait également rêver de très nombreux Européens qui souhaitent y venir en touristes plutôt que par affaires ou pour y fuir les vicissitudes d'une époque difficile. Le *Queen Mary* et le *Queen Elizabeth*, les deux navires de 80 000 tonnes de la Cunard, vivent leurs heures de gloire. Le journaliste Louis-Martin Tard se souvient du simple service du caviar sur le *France* :

Dans le rafraîchissoir ouvragé posé sur un chariot, le bol d'argent, d'où le maître d'hôtel pêchait à la louche les précieux grains gris, escorté de serveurs portant qui le pain rôti enfoui sous des serviettes blanches, qui les œufs hachés, qui l'oignon émincé, et du sommelier extrayant d'un seau à glace une vodka subtile. Tout près, des chefs de rang en cravate blanche, entourés d'autant d'acolytes, flambaient des brochettes de grives. Robes du soir et smokings, orchidées fraîches sur les tables. On croyait rêver.

Toutefois, la vedette mythique de l'entre-deux-guerres reste le *Normandie* qui, avec son extraordinaire silhouette élancée et son somptueux aménagement Art déco, constitue le *nec plus ultra* de la navigation transocéanique. Le *Normandie* remporte d'ailleurs le Ruban bleu à

Le paquebot France *quitte le port de Québec.*

sa première traversée, en 1935, avec un temps de 4 jours, 3 heures et 2 minutes.

Encore de nos jours, la croisière continue de fasciner. Depuis les deux dernières décennies, l'industrie connaît même une croissance spectaculaire, laquelle n'est sans doute pas étrangère à la diversification des destinations et à l'ajout de circuits originaux comme ceux du Saint-Laurent et de la Nouvelle-Angleterre. Alors que les croisiéristes se chiffrent à quelques centaines de milliers durant la période d'après-guerre, ils sont 8 millions en 1998; en 2000, plus de 11 millions de personnes ont fait une excursion d'au moins deux jours. Considérée dans le passé comme un mode de transport aristocratique réservé à des adeptes plutôt âgés, la croisière s'est définitivement démocratisée, surtout en Amérique du Nord. Elle s'adresse maintenant à une clientèle extrêmement diversifiée et propose un choix impressionnant d'activités tant à bord que lors des escales. L'augmentation de la taille des hôtels flottants a permis de réduire les coûts d'opération et de proposer des forfaits plus accessibles. Spectacles, animation, jeux, conférences et propositions d'activités physiques rendent la vie à bord des plus palpitantes.

Même si les destinations privilégiées par les armateurs demeurent les Caraïbes et la Méditerranée, la très grande popularité des croisières en eau froide vers l'Alaska a déclenché un nouvel intérêt pour un type de voyage axé davantage sur la découverte, l'histoire, la culture et l'environnement. Le nombre croissant de croisières en Antarctique et sur le Saint-Laurent, plus accessibles, illustre d'ailleurs cette tendance.

L'arrivée sur le marché, en 1966, de la Norwegian Cruise Lines marque le début de l'ère moderne des croisières. Cette compagnie, de même que la Carribean et la Carnival qui entrent en opération en 1970 et en 1974 respectivement, va grandement contribuer à élargir la clientèle croisiériste en attirant les consommateurs de la classe moyenne avec son forfait d'une semaine à prix accessible. La flotte des navires de croisière se divise alors en deux catégories: une première constituée de grands navires voués au tourisme de masse, une seconde composée de bâtiments de plus petite taille destinés à une clientèle plus aisée.

De nos jours, il y a trois types de compagnies de croisière: les lignes de croisière majeures, les petites lignes

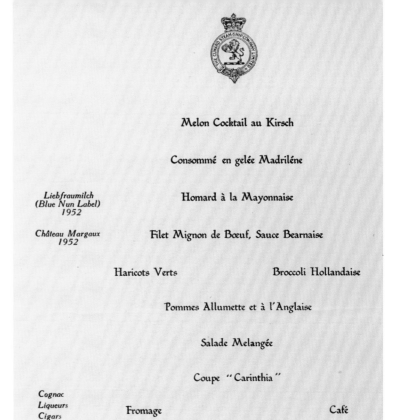

Melon Cocktail au Kirsch

Consommé en gelée Madriléne

Liebfraumilch (Blue Nun Label) 1952

Homard à la Mayonnaise

Château Margaux 1952

Filet Mignon de Bœuf, Sauce Bearnaise

Haricots Verts   Broccoli Hollandaise

Pommes Allumette et à l'Anglaise

Salade Melangée

Coupe "Carinthia"

Cognac Liqueurs Cigars   Fromage   Café

spécialisées avec des navires d'une capacité inférieure à 150 passagers et des voyages de luxe ou des itinéraires originaux et, entre les deux, les lignes de taille moyenne offrant des croisières traditionnelles.

Dans ce contexte, les compagnies doivent diversifier leur offre si elles veulent fidéliser leur clientèle, en attirer de nouvelles et continuer sur leur lancée. Le Saint-Laurent et la Nouvelle-Angleterre s'inscrivent parfaitement dans cette perspective d'avenir.

Voici quelques données qui illustrent la vigueur du marché croisiériste. En 2005, les paquebots ont accueilli en forfait croisière 11,18 millions de passagers; ce nombre aurait connu une croissance d'un demi-million en 2006. Depuis les 25 dernières années, le taux de croissance annuel de la demande est de 8 % et, pour la première fois en 2006, la demande a excédé l'offre avec un taux d'occupation de 103 %. Plus de 80 % des croisiéristes proviennent de l'Amérique du Nord et leur âge moyen est de 49 ans. En 1970, on comptait 500 000 passagers nord-américains; en 1995, ce nombre est passé à 5 millions puis à 7 millions en 2000, année qui a connu la plus forte croissance en 25 ans.

La table d'hôte du dîner est d'un grand raffinement pour l'époque, avec des vins de qualité et une sélection de cognacs et de cigares.

Le gymnase et la salle à manger classe touriste à bord du De Grasse *de la Compagnie Générale Transatlantique.*

À droite : L'aménagement des intérieurs du Norwegian Dawn *illustre bien le faste et l'élégance des paquebots modernes.*

LA VIE SUR UN PALAIS FLOTTANT

Dès ses premiers pas sur le navire, le croisiériste est renversé par l'immensité des lieux et le luxe incroyable des aménagements. La grande place centrale, les nombreux étages de lumière avec leur terrasse, le bar et le trio de musique classique qui crée une ambiance extraordinaire, tout concourt à éblouir le passager.

Une fois à bord, les voyageurs se rendent à leur cabine pour découvrir une chambre coquette et fonctionnelle, dont certaines sont aussi vastes qu'une chambre d'hôtel avec balcon. Chaque cabine compte deux lits simples que l'on peut jumeler ou un grand lit, suffisamment d'espaces de rangement pour vider les valises, une salle de bain avec douche et grande pharmacie, la télé et, surtout, un hublot ou une porte-fenêtre qui donne sur la mer. Déjà, on ne saurait demander plus. Mais il y a beaucoup plus. Un steward accueille chaque passager pour lui faire part de sa totale disponibilité. Les croisiéristes partent ensuite à la découverte du navire dans le seul but, au départ, de se familiariser suffisamment avec les lieux pour être en mesure de retrouver leur chambre sans se perdre.

Sur les ponts supérieurs se trouvent les piscines et les spas, de vastes terrasses et une multitude de chaises longues, des bars dispersés un peu partout et des serveurs qu'on n'a pas besoin de chercher, le pont des sports avec ses studios de gymnastique et sa piste de course extérieure. Au milieu de la place, le rythme est à l'honneur avec une formation d'excellents musiciens.

Aux étages inférieurs, il y a les nombreuses salles à manger, les salons ainsi que le casino. Souvent, les croisiéristes doivent choisir leurs heures de repas avant l'embarquement, mais il y a au moins une salle à manger qui reste ouverte 24 heures par jour et il est possible de commander une bouchée à la chambre jour et nuit. Un dernier buffet, pour les gourmands insatiables, est offert en toute fin de soirée.

Au départ du quai, le passager n'a pas assez d'yeux pour découvrir toutes les merveilleuses facettes du navire, mais, heureusement, il aura quelques jours pour en faire le tour, le temps d'entrer dans le rythme des vacances, de se débrancher de la vie infernale et de se laisser aller au farniente.

Plus tard, un exercice d'urgence obligatoire fait sortir les passagers sur les ponts avec le gilet de sauvetage au cou. Une fois ce devoir accompli, un autre exercice attend le voyageur : le choix des excursions offertes à chaque escale. S'il est possible de rester sur le bateau ou de n'en descendre que pour aller faire du lèche-vitrines, plusieurs se disent : À quoi cela sert-il de se rendre aussi loin pour ne pas en profiter pleinement ? Certes, il y a des frais associés à chacune de ces excursions, le choix tient compte alors des goûts personnels et des moyens financiers de chacun. Les excursions à terre vont du tour guidé en autocar aux visites des principaux attraits touristiques jusqu'aux expériences palpitantes d'observation de la faune, d'interprétation de la nature, de pêche au saumon ou à la truite, de découverte de la culture française en Amérique du Nord ou autochtone... Tout cela, en plongée, en voilier, en kayak de mer, en motomarine, en hydravion, en jeep, en vélo ou à pied. Les croisiéristes réservent les excursions après l'embarquement et connaissent ainsi leur programme de la semaine.

Le premier dîner du voyage exige le port d'une chemise et d'un pantalon long pour les hommes et de vêtements d'intérieur pour les femmes. D'autres soirées exigeront cependant des tenues plus habillées. Chaque passager a sa place réservée pour la semaine, ce qui lui permet de bien connaître le maître d'hôtel qui s'occupera de lui tout au long de la croisière. Le menu s'avère superbe et le service, impeccable. Le personnel bourdonne autour des tables, à l'affût du moindre besoin. Il n'y a qu'à lever les yeux pour que les serveurs rappliquent. La table d'hôte diversifiée est susceptible de plaire à une large clientèle ainsi qu'aux voyageurs gastronomes prêts à oser un peu plus. La carte des vins offre une large sélection internationale pour accompagner les mets les plus fins. Au menu ce soir, un excellent carré d'agneau rosé qui annonce d'autres repas délectables avec un service de grande classe. Après un tel repas, ce sera une folle nuit de cabaret et de casino avant de se faire bercer par les flots en rêvant à des jours qu'on ne pourrait souhaiter meilleurs.

Un premier jet de soleil entre sous la fente du rideau du hublot. Le fil du temps qui s'était tendu revient d'un coup sec à l'instant présent, sur la croisière qui navigue toujours sur le Saint-Laurent. Les moteurs ronronnent en douceur. Le paquebot valse de façon imperceptible et le sujet le plus préoccupant de cette nouvelle journée tient au choix du pont où l'on ira prendre le petit-déjeuner. Le temps va-t-il se réchauffer et les nuages s'écarter pour faire place au soleil? Réussirai-je à me familiariser avec cet hôtel flottant jusqu'à ne plus m'y égarer? Pourrai-je survivre à six ou huit repas quotidiens? Voilà certaines des plus grandes questions existentielles auxquelles seront confrontés les croisiéristes, et ce, durant toute une semaine.

Chaque passager en vient rapidement à développer certaines habitudes et à affectionner certains endroits sur le navire. Il s'y retrouve à l'écart de la foule pour luncher en admirant la côte. D'autres ponts moins accessibles lui permettent de faire la sieste en toute tranquillité ou de passer à travers ce fameux bouquin qu'il se promettait de lire depuis des mois, caressé par le vent du large.

Et ça continue… Et ça recommence… Jusqu'à ce que le voyageur n'en puisse presque plus de cette vie fastueuse. C'est le moment de déserter les ponts pour se réfugier dans sa cabine et se refaire une beauté pour le cocktail du capitaine et le repas de gala de ce soir, où smoking, habit sombre et robe longue seront de mise. Dans la grande salle du cabaret, tous les convives prennent place, alors que le capitaine offre gracieusement et généreusement l'apéro. Le grand orchestre y va de classiques du swing, dont l'incontournable *In the mood*, et de ballades qui attirent sur la piste des danseurs comblés. Les dames sont en beauté et les hommes affichent une élégance incontestable. Voilà qui donne le ton à cette soirée qui se continue à la salle à manger. Le capitaine se présente avec sa suite de marins tout de blanc vêtus et arborant leurs galons dorés.

Heureusement, il n'arrive à peu près jamais que le navire ait à affronter une tempête et, conséquemment, qu'il devienne inconfortable pour les passagers. Près de 48 heures à l'avance, la route de navigation est déterminée en fonction des prévisions météorologiques. En plus de composer avec les vents pour ne pas faire tanguer le navire, l'équipage peut l'équilibrer et même le stabiliser grâce à des équipements spéciaux.

Plus tard en soirée, les croisiéristes sont agréablement surpris et conquis par la qualité des spectacles: musiciens, danseurs, chanteurs, décors, éclairages et jeux scéniques font preuve d'un professionnalisme et parfois d'une originalité remarquables. Chaque soir présente un spectacle différent, de style Vegas ou comédie musicale, *stand-up* comique ou tour de chant. Discothèques, bars-salons, pianos-bars, dancing, casino et cafés aident à combler tous les publics jusqu'au petit matin.

LE PERSONNEL

Fascinante! Impressionnante! Les mots manquent pour désigner la complexité de toute la structure organisationnelle qui sous-tend le déroulement d'une croisière. Partout, sur ces villes flottantes, le personnel fourmille. Le nombre de tâches visibles est renversant et le nombre de tâches invisibles aux voyageurs est inconcevable. La plupart des compagnies maintiennent un ratio de près d'un membre d'équipage pour deux croisiéristes. En salle à manger, les serveurs s'activent partout et de nombreux cuisiniers s'occupent des buffets. Ils demeurent prévenants et attentifs aux moindres besoins, aussi rapides à servir qu'à desservir. Mais, plus incroyable encore, c'est de voir tout ce beau monde, originaire de dizaines de pays différents, s'amuser, travailler dans la bonne humeur et la camaraderie tout en se dévouant totalement à sa tâche. On a beau chercher des failles à ce comportement, les moutons noirs restent l'exception.

«Nous considérons que le navire est notre maison et que les voyageurs sont nos invités», affirment plusieurs d'entre eux. D'ailleurs, la tendance veut qu'on ne parle pas de clients ou de passagers mais d'invités. Cet état d'esprit réussit à établir une ambiance décontractée et permet aux voyageurs de nouer une relation amicale avec le personnel et de l'apprécier de plus en plus au fil des jours, puisqu'ils sont souvent en relation avec les mêmes personnes. Sympathiques et attachants au possible, d'une gentillesse extrême, les membres du personnel parlent de « leur » navire et de leur employeur avec fierté, attachement et même un brin d'émotion. Les membres d'équipage, qui s'embarquent parfois pour des périodes de quatre à huit mois, laissant derrière eux leur famille, font preuve d'un dévouement étonnant et, souvent, de beaucoup de talent dans leur domaine respectif.

La cuisine constitue le meilleur exemple de cohésion et d'efficacité du personnel. Certains grands navires ne comptent qu'une seule cuisine, qui peut être divisée en deux pour desservir les deux salles à manger principales disposées de part et d'autre. Sur un navire de 2000 passagers, plus de 180 personnes y travaillent jour et nuit. Toute la préparation primaire des aliments se fait la nuit alors que la finition s'effectue avant le service. La seule gestion de la cuisine et des approvisionnements représente une tâche colossale. Quand le bateau quitte son port d'attache, il dispose de tout ce qu'il faut pour servir 10 000 repas par jour durant une semaine, de la gastronomie à l'alimentation rapide, des vins jusqu'à l'eau embouteillée. Le chef cuisinier connaît déjà le profil de sa clientèle avant le départ et peut prévoir à quelques assiettes près qui mangera quoi. Signe des temps, la préoccupation « santé » grandissante des passagers se traduit par une consommation accrue de poisson et de plats végétariens.

Une fois par semaine, le chef présente l'événement culinaire et artistique de la semaine avec le grand buffet de pièces montées. Au moment de ce festin, des centaines de curieux se précipitent à la grande salle à manger pour admirer des pièces extraordinaires et des sculptures sur glace grandioses. Chefs-d'œuvre d'artistes asiatiques en bonne partie, ces réalisations éphémères sont photographiées sous tous les angles avant d'être sacrifiées à l'appétit dévastateur du public admiratif.

Lieux de détente et de divertissement, le bar et la salle de spectacle du Norwegian Dawn *font les belles soirées des croisiéristes.*

Pages 44-45 : *Il ne s'agit pas d'un décor de théâtre ni d'une œuvre d'art moderne. Amarré dans le secteur de l'anse au Foulon, le* Crystal Symphony *côtoie une cargaison récemment déchargée sur le quai.*

D'hier à aujourd'hui, le personnel des navires de croisière s'est toujours dévoué au bonheur et au confort des passagers. Les responsabilités du personnel sont énormes.

Gérald Grenier

Les grands bateaux suscitent le rêve parce que leur immensité frappe l'imaginaire mais aussi, et peut-être surtout, parce qu'ils sont synonymes d'évasion et de découverte. Tous les paquebots inscrits dans le grand livre de la navigation ont porté, outre leurs milliers de passagers, les espoirs et les aspirations de légions d'hommes et de femmes qui ne sont pas partis.

À terre, les pieds ancrés au sol mais les yeux rivés sur le large, plusieurs artistes comme Gérald Grenier ont porté en eux la mer et les bateaux. L'une et les autres les ont inspirés de diverses façons : en poésie, en musique, en peinture et en chanson, entre autres. Il existe au Québec une longue tradition de modélistes qui date du XVIIIe siècle, à une époque où les constructeurs de goélettes utilisaient des modèles réduits à l'échelle dans leur processus de construction navale. Dans la première moitié du XXe siècle, une influence définitivement plus artistique s'est fait sentir chez les modélistes. Eugène Leclerc, sculpteur originaire de Saint-Jean-Port-Joli, petit village de la côte Sud qui a abrité les plus grands noms de la sculpture sur bois, a été le premier à élever la création de bateaux miniatures au statut d'art noble.

Le Saguenay ne fait pas exception à cette tradition séculaire parfaitement incarnée par Gérald Grenier, un dessinateur industriel à la retraite dont la résidence et la maison d'été donnent directement sur la baie des Ha ! Ha ! et sur le fjord du Saguenay. Avec une approche plus technique, faite de patience et de minutie, ce « constructeur naval » à petite échelle a réalisé de nombreux bateaux extraordinaires, surtout des goélettes et des navires de la garde côtière du Canada. Son chef-d'œuvre demeure son modèle réduit du *Queen Mary 2*, qui a commencé à le fasciner dès sa construction au chantier maritime de Saint-Nazaire, en France. Il lui a fallu 3 000 heures de travail minutieux pour achever son œuvre en bois de pin recyclé d'un peu moins de 11 pieds (4 mètres) de longueur à l'échelle de 5/64 pouce pour un pied. En suivant les plans originaux, il a découpé une à une 2 200 fenêtres minuscules, taillé des milliers de bâtonnets pour les balcons, sculpté avec une similitude parfaite tous les ponts supérieurs, peint la coque et tous les extérieurs puis motorisé son paquebot miniature de la même façon que l'original. Au panthéon des modèles réduits, le *Queen Mary 2* de Gérald Grenier occupe le sommet, soit la même place que son jumeau géant.

• • •

LES CROISIÈRES

SUR LE

SAINT-LAURENT

Le Saint-Laurent change d'aspect chaque saison, chaque jour et chaque heure du jour.

Cap sur la Grosse Île avec les Croisières Lachance.

AU LONG
DU GRAND FLEUVE

La croisière en eau froide, telle qu'on la désigne aujourd'hui, est loin de constituer un nouveau phénomène. Déjà, dès la première moitié du XIXe siècle, de telles croisières existaient sur le Saint-Laurent. Près de deux siècles plus tard, l'expérience fascinante de la navigation nordique continue de susciter beaucoup d'intérêt. Elle constitue même une industrie touristique qui connaît une croissance impressionnante avec des saisons de navigation de plus en plus longues, des navires de plus en plus grands, des points d'intérêt ou des escales de plus en plus diversifiés et une clientèle de plus en plus nombreuse.

Il est vrai que la croisière en eau froide sur le Saint-Laurent a beaucoup à offrir. Contrairement à la croisière en mer chaude, comme dans les Caraïbes ou ailleurs, l'intérêt dépasse largement la simple détente. Comme dans le cas des croisières sur les fleuves d'Europe ou d'Asie, il s'agit d'une immersion culturelle étonnante à cause de son incroyable diversité. À cela s'ajoute un contexte environnemental unique, puisque cette incursion dans le Nouveau Monde conduit au cœur des plus grands espaces naturels qui soient.

Cet ouvrage concerne un territoire de croisière clairement délimité par l'espace géographique occupé par le fleuve Saint-Laurent. La majorité des croisiéristes qui abordent cette vastitude ont eu pour point de départ ou d'arrivée la côte du nord-est des États-Unis, soit la Nouvelle-Angleterre et Boston ou New York. D'autres

sont venus des Grands Lacs ou de la région des Mille-Îles, de Toronto et de Kingston, en empruntant la voie maritime du Saint-Laurent. Tous ne font pas le même périple, effectuant diverses escales en Nouvelle-Angleterre ainsi que dans les provinces canadiennes de l'Atlantique. Toutefois, la plus grande partie de la croisière va se dérouler au Québec, le seul État francophone en Amérique du Nord, une société moderne, ouverte et accueillante, mais foncièrement différente des autres communautés nord-américaines.

Le Saint-Laurent constitue le plus colossal des théâtres avec, côté cour et côté jardin, les plus anciennes montagnes du monde. Sur la scène marine, les plus grands animaux de la création exécutent un ballet de virtuose comme nulle part ailleurs. Ce décor unique forme un corridor plus ou moins large entre Montréal et Québec, puis s'élargit à l'infini à mesure qu'il se dirige vers l'est. La nuit, pour le passager qui veut observer la voûte céleste, il n'y a pas de meilleur endroit que le pont supérieur. Il peut ainsi contempler, ébahi, l'éclairage transcendant des milliards d'étoiles de la Voie lactée et distinguer à l'occasion le mouvement régulier des satellites qui se font doubler à fond de train par les étoiles filantes. Et pour les plus chanceux, il y a le plus grandiose des spectacles célestes : l'aurore boréale, qui enflamme et fait danser le ciel.

Une croisière sur le Saint-Laurent, fleuve qui a mis au monde le Québec et le Canada, permet de participer à une pratique séculaire, probablement l'une des plus vieilles traditions de navigation de plaisance au monde, sinon la plus ancienne. Une histoire si captivante qu'elle mérite largement d'être connue !

À l'arrêt devant le cap Trinité et la statue de la Vierge, au meilleur du fjord du Saguenay, le croisiériste prend conscience que le cérémonial qui se déroule en ce lieu est pratiqué depuis plus de 125 ans, exactement de la même façon et avec la même émotion.

Petits et grands navires vont sur les eaux froides du Saint-Laurent pour explorer les îles énigmatiques et les labyrinthes des archipels, pour affronter les brouillards clandestins et les vents effrontés. Au rendez-vous : la découverte, l'éblouissement, la révélation des territoires les plus méconnus de ce pays, l'immensité extraordinaire de son fleuve, sa rudesse en même temps que sa beauté infinie et sa générosité. Il y a aussi l'intimité émouvante avec les grands et petits mammifères marins qui peuplent les eaux, la rencontre des étourdissantes colonies d'oiseaux qui s'accrochent aux falaises vertigineuses et en décrochent comme une neige vivante et subite. Enfin, il y a ces îles par milliers, à partir des pittoresques terres émergées de la Basse-Côte-Nord et de l'île d'Anticosti, la merveilleuse, jusqu'aux incomparables splendeurs naturelles des résurgences rocheuses de l'archipel de la Minganie avec ses perroquets, ses flancs calcaires nus, son phare embrumé et ses impressionnants monolithes.

Il n'y a pas d'heure pour commencer ou finir une journée de croisière sur le Saint-Laurent, mais le passager qui veut assister au crépuscule doit se tirer du lit aux premières lueurs du matin. Rien ne vaut en émerveillement le lever du soleil au-dessus de la côte Sud, entre les horizons de nuages effilés d'où l'astre lance les préliminaires de ses feux quotidiens. Toute la journée, il ne reste plus qu'à surveiller l'horizon à la recherche du souffle des baleines ; à suivre le vol des canards et des oiseaux marins ; à respirer l'air salin jusqu'à s'en imprégner.

Le soleil se couche dans l'axe du fjord du Saguenay. En excursion à bord d'un pneumatique, entre Tadoussac et le cap de la Boule.

Les dunes de Tadoussac sont un héritage de la dernière ère glaciaire. Il s'agit des plus hautes dunes de sable au Canada. On y pratiquait autrefois le ski sur sable.

LE QUÉBEC

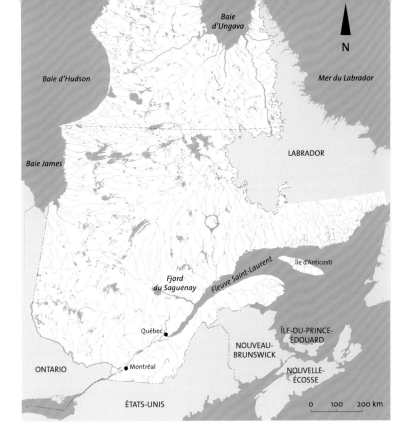

Le vaste territoire du Québec couvre une superficie d'environ 1 550 000 kilomètres carrés, l'équivalent de la surface de la France, de l'Allemagne et de la péninsule ibérique réunies. À l'exception de la vallée du Saint-Laurent et des quelques régions méridionales excentriques, toute cette immensité est très peu peuplée. Le territoire québécois se profile comme une longue péninsule encadrée au sud par le Saint-Laurent, à l'est par l'Atlantique et le Labrador, au nord par la baie d'Ungava et à l'ouest par la baie James et la baie d'Hudson. Le Québec partage aussi des frontières avec la province de l'Ontario à l'ouest, avec le Nouveau-Brunswick au sud-est ainsi qu'avec les États américains du Maine, de New York, du Vermont et du New Hampshire au sud.

Jusqu'au début du XXe siècle, la vie économique québécoise était étroitement liée à l'agriculture et à l'industrie forestière. Par la suite, la croissance industrielle a attiré les populations rurales vers les villes, accélérant l'urbanisation du Québec. Les années 1960 ont amorcé ce qu'on appelle la «Révolution tranquille», une période axée sur l'éducation, le contrôle des ressources naturelles et la protection de la langue française. Cette étape cruciale de son évolution a propulsé le Québec à l'avant-garde des sociétés modernes, une situation qui s'est cristallisée en 1967 avec la présentation de l'Exposition universelle de Montréal et, en 1976, avec la tenue des Jeux Olympiques de Montréal. Depuis les années 1960, le Québec abrite également un fort courant indépendantiste caractérisé par son attachement viscéral à la démocratie.

L'économie du Québec connaît, depuis le début du XXIe siècle, une profonde mutation provoquée par la mondialisation des marchés et une gestion beaucoup plus rigoureuse des ressources naturelles en général et des ressources forestières en particulier. Le Québec mise plus que jamais sur les nouvelles technologies, un domaine où il excelle, ainsi que sur les énergies propres et renouvelables avec l'hydroélectricité et l'énergie éolienne.

Vivant dans un contexte historique, politique et culturel unique en Amérique du Nord, les Québécois sont aujourd'hui le fruit d'un heureux métissage entre l'Europe et l'Amérique. Métissage fortement relevé par une immigration importante, principalement concentrée à Montréal, qui enrichit la diversité culturelle. Profondément enraciné en terre d'Amérique et fier de son héritage français, le Québec semble avoir le cœur en France et la tête en Amérique. Son mode de vie est résolument nord-américain, mais sa culture, de racines latines, sa joie de vivre, son anticonformisme, son hédonisme et son raffinement le rapprochent davantage de l'Ancien Monde que de toute autre société de son continent.

Le français constitue la langue officielle et la langue d'usage de la majorité des 7 millions de Québécois, bien que l'anglais soit parlé ou compris presque partout, en particulier dans les villes. Près de 70 000 Amérindiens appartenant à 10 nations et 9000 Inuits habitent dans une cinquantaine de villages dispersés sur l'ensemble du territoire.

À gauche :
En haut : Une croisière sur le Saint-Laurent et le Saguenay permet d'observer les îles énigmatiques, les côtes montagneuses, les falaises vertigineuses et les baleines géantes. En bas : Les eaux marines du Saint-Laurent savent porter aussi bien la plume immatérielle que le paquebot gigantesque.

SUR LE SAINT-LAURENT

Au Québec, la croisière fait son apparition dès le XIXe siècle et sa popularité est propulsée à des sommets avec l'arrivée des bateaux à vapeur qui permettent de surmonter les difficultés de la navigation sur le Saint-Laurent, plus spécialement en amont de la ville de Québec. Il est en effet facile d'imaginer les incroyables problèmes de la navigation à voile sur des segments du fleuve soumis aux puissants courants conjugués aux importantes fluctuations des marées, sur une route maritime parsemée de pièges et d'écueils dus principalement à la faible profondeur. D'ailleurs, aux temps des premières explorations et de la colonisation, les navires en provenance d'Europe restaient à l'ancre devant Tadoussac pendant que les voyageurs continuaient leur périple en barque jusqu'à Québec ou plus en amont. La vapeur a permis d'établir un service régulier, fiable et rapide d'abord entre Québec et Montréal, avec escale à Sorel et à Trois-Rivières. Les paysages grandioses et les valeurs romantiques de l'époque ont entraîné ensuite l'apparition de plusieurs destinations qui deviendront progressivement des secteurs de villégiature très fréquentés : Pointe-au-Pic, La Malbaie, Cap-à-l'Aigle dans Charlevoix puis Tadoussac, Chicoutimi, La Baie. Dans le Bas-Saint-Laurent : Cacouna, Kamouraska et Rivière-du-Loup.

Au début, les passagers se voient dans l'inconfortable obligation de partager l'espace avec les marchandises de toutes sortes que les bateaux transportent prioritairement, puisque le nombre de passagers reste insuffisant pour justifier la mise en service de véritables paquebots. Toutefois, par la force des choses, le transport des passagers se transforme graduellement en croisières sur le fleuve. Les premières expériences de véritables croisières touristiques prennent la forme de pèlerinages à partir de Montréal et de Québec en direction de la basilique de Sainte-Anne-de-Beaupré. Puis, avec l'ouverture du Saguenay, quelques compagnies maritimes élaborent des circuits plus longs, dotés de multiples escales et convergeant vers le point culminant de tous ces voyages, le cap Trinité, et, à partir de 1881, la statue de Notre-Dame-du-Saguenay. Plusieurs générations de jeunes mariés ont découvert la navigation et, fort probablement, l'amour au cours d'une de ces croisières, considérées alors comme le plus extraordinaire voyage de noces possible. Sur la côte sud du Saint-Laurent, les croisières ont largement favorisé la croissance de la villégiature et l'installation des familles fortunées de la ville dans des maisons d'été que certaines d'entre elles possèdent et fréquentent encore aujourd'hui.

Le fleuve Saint-Laurent, une route vers le cœur de l'Amérique pour le transport maritime et un chemin de découverte inépuisable pour les touristes.

À gauche :
En haut : Le Saint-Laurent a longtemps été la seule voie de pénétration vers l'intérieur du continent. Cette route maritime aux dimensions extraordinaires permet de relier l'Atlantique aux Grands Lacs. En bas : Sainte-Luce sur mer, aux portes de la Gaspésie, est une des seules stations balnéaires sur le Saint-Laurent.

Le chemin d'eau

Le Saint-Laurent a ceci de très particulier que, à la fois, il amène la mer au sein même du continent nord-américain et il réunit les habitats les plus variés de toute la planète. Une artère vitale, quoi ! Mieux : un système vital et une mémoire du monde !

Jean Gagné, À la découverte du Saint-Laurent

Voie d'entrée de la Nouvelle-France et d'un monde neuf à inventer, le fleuve Saint-Laurent s'inscrit dans l'imaginaire et dans la réalité européenne en apparaissant sur les cartes géographiques ou marines, dont les plus anciennes sont la mappemonde harleyenne (vers 1542) et la mappemonde de 1544 attribuée à Cabot.

On doit à l'Espagne et au Portugal le signal de départ du grand mouvement d'expansion colonialiste qui remonte jusqu'au Saint-Laurent.

Vers la fin du Moyen Âge, l'Europe éprouve l'urgent besoin de se procurer des métaux précieux, de l'or surtout, pour ses échanges commerciaux, du sucre et des épices (poivre, cannelle et girofle) pour la cuisine et la pharmacie de l'époque. Les Arabes et les Vénitiens vendent très cher ces denrées qu'ils importent en empruntant la mer Rouge et la Méditerranée. Les Européens cherchent donc une route vers les Indes, autre que celle qu'empruntent ces commerçants. C'est dans ce but que Vasco de Gamma double le cap de Bonne-Espérance en 1497.

Tablant sur la sphéricité de la Terre, Christophe Colomb se dirige vers l'ouest avec le même objectif. À sa suite, les Espagnols se dirigeront vers l'Amérique du Sud et les Portugais, vers le Brésil. À la fin du XVIe siècle, la Hollande devient la troisième puissance conquérante en établissant des colonies au nord de la côte est américaine.

Au cours du XVIe siècle, les quatre pays d'Europe qui donnent sur l'Atlantique tenteront sans succès de s'installer au nord de la Floride. Ainsi, vers 1520, le Portugal veut faire de Cap-Breton sa première colonie au Nouveau Monde, mais un hiver rigoureux combiné à l'hostilité des autochtones force les Portugais à se retirer. Ce sera la seule tentative de colonisation portugaise en Amérique du Nord. Quant à l'Espagne, elle fera deux incursions dans la baie de Chesapeake, en 1526 et en 1570. Après leurs essais infructueux, ces deux grandes puissances laissent la voie libre à la France et à l'Angleterre. Celle-ci tente en 1553 de s'accaparer Terre-Neuve. Par trois fois, en 1585, en 1586 et en 1590, les Anglais échouent dans leur tentative de s'installer en Virginie. Que ce soit dans le Rhode Island ou dans la baie de Plymouth, ils n'arrivent pas à prendre pied en Amérique.

Les Français n'obtiennent guère plus de succès. C'est en 1541 qu'ils pénètrent dans la vallée du Saint-Laurent, à la recherche d'une route d'eau qui les conduira sinon en Asie, du moins dans le riche royaume mythique du Saguenay, où ils espèrent trouver or, argent, diamants et épices. Le constat d'échec s'établit deux ans plus tard.

Déjà, le Malouin Jacques Cartier avait pris la mer en 1534 dans l'espoir de trouver cette ouverture vers le Pacifique qu'il croyait découvrir au-delà d'une baie dont les pêcheurs basques, rochelais, bretons et normands, habitués des lieux depuis très longtemps, avaient signalé la présence en face de Terre-Neuve. Après le troisième voyage de Jacques Cartier, le Canada cesse de tenir l'affiche et, durant les 50 ans qui suivent, il ne sera plus fréquenté que par les pêcheurs qui profitent d'un banc de morues de 120 000 kilomètres carrés, à l'ouest de Terre-Neuve. Une ressource qui nourrira l'Europe durant plus de quatre siècles. Les Basques se concentrent plutôt sur la chasse aux baleines. Au XVIe siècle, à certaines périodes de l'année, jusqu'à 600 bateaux de pêche naviguent dans le golfe du Saint-Laurent.

Des pêcheurs rencontrent des aborigènes sur le rivage alors qu'ils débarquent pour faire sécher la morue ou fondre la graisse des baleines. Ils acceptent d'eux des peaux de bêtes qu'ils rapportent chez eux. La cueillette des fourrures ne tardera cependant pas à se révéler plus profitable encore que la pêche, surtout lorsque les feutriers découvrent que le poil de castor donne un lustre exceptionnel à leurs chapeaux. Du coup, les Malouins se lancent dans le trafic des fourrures et réalisent des profits considérables. Le Canada et le Saint-Laurent redeviennent intéressants. Henri III d'abord, puis Henri IV reprennent en main les plans de colonisation et songent de nouveau, à l'exemple de l'Espagne, à créer des colonies de peuplement. Les marchands, de leur côté, s'opposent à ces projets de colonisation. Il leur suffit amplement d'avoir sur place des comptoirs saisonniers, comme à Tadoussac. Partisans de la liberté de commerce, ils œuvrent à préserver des profits qui peuvent atteindre 1400 %. Cette prétention retardera le développement du Canada à une époque où l'Angleterre, elle, va se livrer en Amérique à un peuplement méthodique et organisé.

La rencontre d'Henri IV avec des hommes comme Aymar de Chastes, Pierre du Gua de Monts et Samuel de Champlain provoque les choses.

LES MARÉES

Les marées du Saint-Laurent proviennent de l'Atlantique. Il y a deux cycles de marées par jour, un cycle comprenant une marée haute et une marée basse. De type semi-diurne, chaque cycle de marée s'étend sur une période de 12,42 heures. En résumé, la fréquence des marées est de deux marées hautes et de deux marées basses par 24 heures. Il semble que la marée soit légèrement plus prononcée sur la rive nord que sur la rive sud de l'estuaire et du golfe. Dans les zones d'influence les plus fortes en amont de l'estuaire et du fjord du Saguenay, le marnage moyen est d'environ 4,6 mètres et peut monter jusqu'à 7 mètres en périodes de vive eau.

La marée fait ressentir ses effets dans l'estuaire et le golfe du Saint-Laurent, sur une longue portion du segment fluvial et dans tout le fjord du Saguenay. Les grandes marées et la pleine lune se conjuguent pour provoquer des marnages qui peuvent dépasser 6 mètres et dégager de larges estrans rocheux ou sablonneux.

À droite : Le Wilcox, échoué en 1954, est l'une des nombreuses victimes des caprices du golfe du Saint-Laurent.

UNE NAVIGATION DIFFICILE

Les conditions de navigation sur le Saint-Laurent varient radicalement selon l'endroit où l'on se trouve. De façon générale, de l'Atlantique jusqu'à l'embouchure du fjord du Saguenay, les paquebots connaissent des conditions relativement semblables à ce qu'on peut observer en haute mer. À l'écart des archipels qui longent les côtes et des larges platiers de l'île d'Anticosti, les plus grands navires profitent d'une absence d'obstacles et d'une profondeur considérable.

Le chenal laurentien constitue l'élément dominant de cette région. Il s'agit d'une vallée sous-marine d'origine glaciaire qui s'étend sur 1400 kilomètres. Ses embranchements contournent l'île d'Anticosti et longent les côtes ouest et sud de Terre-Neuve. Sa profondeur varie entre 180 et 550 mètres. Des plates-formes de moins de 100 mètres de profondeur et de moins de 10 kilomètres de largeur sont communes. Les eaux salées de l'Atlantique, riches en nutriments, coulent dans les profondeurs de ce chenal à partir de la lisière de la plate-forme continentale, créant ainsi une couche en eau profonde généralement plus chaude que la couche supérieure. Ces eaux remontent à la surface où elles se mêlent à celles de l'estuaire du Saint-Laurent. Dans cette région, les eaux sont libres de glace pendant neuf mois. La couverture de glace qui est présente le reste du temps est constituée surtout de banquise fragmentée, bien que l'eau libre prédomine dans les eaux au sud-ouest de Terre-Neuve.

L'espace maritime à l'avant de Tadoussac peut être considéré comme l'un des plus hasardeux du Saint-Laurent avec son carrefour de courants violents, ses hauts-fonds, ses marées, ses récifs, ses brumes et tous les phénomènes climatiques qui s'y confrontent, sans compter le trafic maritime intense. En effet, 7000 navires marchands empruntent le fleuve chaque année, en plus des bateaux de croisière et des embarcations de plaisance.

En haut : L'espace maritime autour de Tadoussac est le plus hasardeux du Saint-Laurent. Courants violents dans des passages étroits, brumes et phénomènes climatiques imprévisibles se manifestent à la confluence du Saguenay et du Saint-Laurent. En bas : Le catamaran Famille Dufour II *sort du fjord du Saguenay, au large de la pointe de l'Îlet.*

À gauche : Quelque 7000 navires marchands empruntent le Saint-Laurent chaque année, sans compter les bateaux de croisière et les embarcations de plaisance. La voie maritime leur réserve une multitude de pièges.

LES FEUX DU SAINT-LAURENT

Devant le niveau élevé de dangerosité du fleuve, l'établissement d'un réseau de phares est vite devenu une nécessité pour faciliter le travail des capitaines et des pilotes. Ce système d'aide à la navigation tarda cependant à apparaître sur les rives du Saint-Laurent : la construction du premier feu, sur l'île Verte, date de 1807 alors qu'un phare brillait déjà dans le port de Boston depuis 1716.

[Le phare de l'île Verte] demeurera jusqu'en 1829 la seule lumière sur laquelle les capitaines et les pilotes pourront compter. En 1830, le gouvernement canadien érige le phare de la pointe des Monts, puis, en 1831 celui de pointe Sud-Ouest, sur l'île d'Anticosti, au coût astronomique de plus de 33 800 dollars. En 1835, la pointe de l'Est (pointe Heat) est à son tour dotée d'un phare au coût de 25 135 dollars. En 1943, on construit un pilier de pierre près de Québec, le pilier Sud, puis un autre à l'île Rouge en 1848. Mais il faudra attendre 1857 pour que l'administration coloniale [...] finisse par envisager la construction d'un système de guidage plus complet. »

Patrice Halley
Les sentinelles du Saint-Laurent

D'une hauteur de 28,6 mètres et datant de 1831, le phare de la pointe Sud-Ouest, sur l'île d'Anticosti, fut l'un des quatre premiers phares sur le Saint-Laurent.

À droite :
En haut : Le phare de Pointe-des-Monts, construit en 1830, est le plus ancien du Saint-Laurent après celui de l'île Verte (1829). Au centre : Le Queen Mary 2 entre à Québec au petit matin. Ce type de navire n'a plus vraiment besoin des feux du Saint-Laurent pour se diriger dans la nuit. En bas : Le phare et les bâtiments de l'île aux Perroquets dans l'archipel de Mingan.

LE HAUT-FOND PRINCE

Aux abords de la baie de Tadoussac se dressent des hauts-fonds très importants, dont le haut-fond Prince, sur lequel le *H. M. S. Hero*, bateau transportant le prince de Galles, vint s'échouer par temps brumeux, le 18 août 1860. Ce haut-fond est engendré par la formation d'un verrou glaciaire à la sortie du fjord du Saguenay (12 mètres de profondeur en moyenne) dont les dépôts de moraine avancent à 4 kilomètres au large de la baie de Tadoussac.

Par la suite, le haut-fond Prince a partagé son nom avec le bateau-phare ancré sur place afin de prévenir les navires des dangers d'échouage. Dépourvu de moteur, le *Haut-Fond-Prince # 7*, comme un autre bateau similaire placé près de l'île Rouge, était équipé de puissants feux de signalisation. On le reconnaissait aisément le jour à sa coque rouge et noire avec son nom inscrit en grandes lettres blanches.

LA TOUPIE

Les bateaux-phares du Saint-Laurent ont été utilisés de 1830 à 1960 environ. Retiré en 1955, le bateau-phare *Haut-Fond-Prince* n'est remplacé que neuf ans plus tard par une structure d'acier posée sur le fond, que la population appelle la «Toupie». Elle comporte un phare lumineux au xénon qui produit une luminosité égale à 300 000 chandelles par nuit claire. Quand le brouillard se lève, la puissance d'éclairage s'accentue à 32 000 000 de chandelles. Trois diaphones émettent des sons graves par temps brumeux, à intervalles de 3 à 15 secondes.

Les phares de l'île Rouge et du haut-fond Prince ont été les deux derniers postes du Saint-Laurent à être automatisés, en 1988.

Les écueils dont ce fleuve est rempli, sa navigation la plus dangereuse et la plus difficile qu'il y ait, sont le meilleur rempart de Québec.

Louis-Antoine de Bougainville, 1756

L'ÎLE ROUGE

Façonnée par les glaciers puis modelée par les courants et les glaces, l'île Rouge appartient au fleuve. Facilement reconnaissable au beau milieu de l'estuaire, à 13 kilomètres au large de l'embouchure du Saguenay et pratiquement à la même distance de la côte Sud, l'île constitue la manifestation la plus avancée du fjord du Saguenay; en fait, il s'agit de la dernière résurgence du massif de moraine poussé par les glaciers qui ont surcreusé le lit du Saguenay il y a un peu plus de 10 000 ans. L'île Rouge appartient aussi aux différentes espèces d'oiseaux, et ils sont des milliers, qui l'occupent à tour de rôle. Les eiders à duvet se la réservent en début de saison et y nichent dans les hautes herbes jusqu'à ce que leurs petits sachent au moins courir sur les eaux. Par la suite, les goélands argentés s'en emparent littéralement et y tiennent un siège dévastateur, accompagnés sur l'île par les cormorans et les chevaliers guignette au pas rapide et à l'esprit curieux. Les derniers résidants sont les canards kakawi qui y demeurent même une partie de l'hiver.

Du fait de sa position stratégique, l'île Rouge a joué un rôle important dans l'histoire maritime du Saint-Laurent. Sa localisation l'a en effet transformée en un piège fatal pour de nombreux navires qui s'y sont échoués, charriés par les deux puissants courants qui la contournent. Ces naufrages expliquent pourquoi cette bande de cailloux de 600 mètres de longueur sur 150 mètres de largeur est devenue un haut lieu de l'archéologie sous-marine au pays.

Encore aujourd'hui, le phare se dresse solidement au centre de l'île après avoir vaincu tous les assauts du temps et de la mer.

Les phares de l'île Rouge et du haut-fond Prince (la Toupie) ont été les deux derniers postes du Saint-Laurent à être automatisés, en 1988.

DANS L'ESTUAIRE

Devant Les Escoumins, les fonds marins s'élèvent rapidement. Les masses colossales de moraine, poussées par les glaciers qui ont surcreusé le fjord du Saguenay, obstruent littéralement le Saint-Laurent à partir de cet endroit. Ce phénomène gêne la navigation au point que, durant le xviie siècle, les navigateurs qui arrivent d'Europe laissent leur navire à Tadoussac et continuent leur route vers Québec en barque afin d'éviter les risques de navigation sur un cours d'eau parsemé d'obstacles dangereux, soumis aux puissants courants et aux fortes marées. Sans compter que la faible profondeur de la partie de l'estuaire en amont de Tadoussac et du fleuve rend la navigation quasi suicidaire.

Sous le régime français, très peu d'efforts sont déployés pour faciliter la navigation sur le Saint-Laurent. Si la faible densité de la population peut expliquer ce constat, il y a aussi des raisons économiques et militaires à cet état de fait. « La crainte d'une invasion par l'Angleterre s'est longtemps opposée à toute expansion dans ce domaine ; en rendant la navigation plus sûre aux bâtiments français, les ennemis en profiteraient s'ils voulaient faire des incursions contre la colonie », explique l'historien Alain Frank dans le magazine *Histoire Québec*.

Cette situation a entraîné l'apparition d'un nouveau métier dans la colonie naissante : le pilotage. Encore aujourd'hui, pas un navire ne peut s'engager dans l'estuaire moyen du Saint-Laurent et dans son estuaire fluvial sans faire préalablement monter un pilote à bord. C'est lui qui prend les commandes du bateau et qui le conduit en sécurité jusqu'aux ports de Québec, de Trois-Rivières et de Montréal.

Dès le milieu du xixe siècle, le gouvernement canadien a entrepris l'aménagement d'un chenal maritime afin de permettre aux navires de plus grand tonnage de remonter jusqu'à Montréal et d'améliorer les conditions de navigation sur le fleuve. En aval de Montréal, la faible profondeur du lac Saint-Pierre faisait obstacle à la navigation océanique et, plus bas, les navigateurs craignaient les nombreux récifs de l'estuaire. Les navires au fort tirant d'eau étaient obligés d'attendre la marée haute pour franchir les hauts-fonds en aval de Québec. Il fallait conséquemment draguer en commençant par la portion du fleuve en amont de Trois-Rivières, laquelle échappe à l'action de la marée. La profondeur du chenal passe ainsi de 1,80 mètre en 1850 à 10 mètres en 1952. Ce faisant, le chenal maritime du Saint-Laurent débute à l'entrée aval du canal de Lachine (près du bassin Alexandra où accostent les bateaux de croisière) et se poursuit jusqu'à Pointe-au-Père, sur une distance de 566 kilomètres. Pour sa part, la voie maritime du Saint-Laurent, inaugurée en 1959, englobe le réseau d'écluses et de canaux conduisant de Montréal au lac Érié. La section Montréal – lac Ontario comprend une succession de sept écluses qui permettent de passer du bas du fleuve Saint-Laurent au lac Ontario. La voie maritime du Saint-Laurent, dans sa définition la plus large, représente une voie navigable de 3700 kilomètres de longueur qui s'étend de l'océan Atlantique jusqu'à la tête des Grands Lacs.

Le Constellation s'engage dans le fjord du Saguenay, entre Tadoussac et Baie-Sainte-Catherine.

Le CONSTELLATION • *Conçu par le réputé designer Jon Bannenberg, le Constellation a deux navires jumeaux, l'Infinity Millenium et le Summit. Fait à noter : il est équipé d'un système de propulsion silencieux, qui produit moins d'émanations et qui s'avère moins énergivore. Il se distingue aussi par l'audace et l'originalité des œuvres d'art disséminées à bord.*

À gauche : Le bateau-pilote de la station de pilotage des Escoumins aborde le CTMA Vacancier (hors champ).

Les pilotes du Saint-Laurent

Le voyageur en croisière sur le Saint-Laurent ou ailleurs n'a pas à se préoccuper de ce qui se déroule à la passerelle ou des subtilités techniques de la navigation. Toutefois, lorsque les paquebots arrivent au seuil de l'estuaire moyen du Saint-Laurent et de la rivière Saguenay, que ce soit la nuit ou le jour, plusieurs passagers sont intrigués par le ralentissement du navire et l'abordage d'un petit bateau visiblement très puissant. Cette opération rapide vise à faire monter à bord le pilote qui, à partir de ce point précis, prend la gouverne du navire. Ce scénario, qui se répète depuis le XVIIe siècle, illustre une des plus grandes traditions maritimes en Amérique du Nord.

Un navire compte un capitaine et trois officiers de pont qui assurent la navigation en eau libre, en mer et à l'approche des côtes, mais qui ne peuvent connaître toutes les particularités de la navigation en eaux restreintes, comme sur le fleuve Saint-Laurent et son estuaire. Tout bateau de croisière ou quelque navire que ce soit qui arrive de l'océan Atlantique et pénètre dans le golfe du Saint-Laurent se dirige vers la première station de pilotage, située aux Escoumins sur la rive Nord. Le capitaine fait alors monter à bord un pilote qui prend charge de la navigation et de la manœuvre en s'appuyant sur sa longue expérience et sa formation spécialisée.

Dès le début de la colonie, les très nombreux pièges du Saint-Laurent, ses écueils et ses courants redoutables ont entraîné le développement d'un des plus anciens métiers exercés dans le Nouveau Monde, le pilotage.

Au départ, les pilotes provenaient de France et amélioraient leur connaissance du Saint-Laurent un peu plus à chaque voyage. En utilisant les moyens sommaires de l'époque, dont une sonde de plomb principalement, ils vérifiaient les hauts-fonds, repéraient les meilleurs mouillages, les baies, et notaient leurs observations au journal de bord pour dresser ultérieurement des cartes marines.

Abraham Martin, dit l'Écossais (1589-1664), est considéré comme le doyen des pilotes du Saint-Laurent. Des documents tirés des registres de 1646 le désignent comme « pilote de la rivière Saint-Laurent ». Ce personnage arrivé en Nouvelle-France en 1620 est d'autant plus remarquable qu'il a laissé une trace indélébile dans l'histoire de Québec. Il possédait effectivement le secteur actuel de la Haute-Ville où s'est déroulée la bataille fatidique à la conclusion de laquelle la Nouvelle-France est devenue britannique. Encore aujourd'hui, l'endroit est désigné comme « les plaines d'Abraham ».

Très tôt, le besoin de former des pilotes de navires possédant une excellente connaissance du Saint-Laurent s'est imposé. Jusqu'alors, le métier de pilote s'était exercé dans un contexte de concurrence féroce pouvant mener à des situations périlleuses. Ainsi, avant 1860, le pilote est un marin indépendant, propriétaire de sa chaloupe à voile, qui travaille pour son propre compte sans partager ses revenus. La seule règle en vigueur est celle du « premier arrivé, premier à bord ». Il en découlait une compétition sauvage qui obligeait les pilotes à patrouiller constamment les eaux du Saint-Laurent sur de très grandes distances afin d'y repérer leurs « clients ». Cette situation a entraîné de nombreux drames. De 1819 à 1855, 129 pilotes et apprentis se sont perdus en mer. Cela a incité les pilotes à demander aux instances politiques d'améliorer la formation, de réduire le nombre de pilotes et d'adopter un mode d'affectation à tour de rôle doublé d'une répartition équitable des revenus. Conséquemment, en 1860, 250 pilotes se sont organisés officiellement et ont formé la Corporation des pilotes pour Le Havre de Québec et au-dessous, la première organisation de pilotes en Amérique du Nord. Elle servira même de modèle pour les pilotes du port de New York qui formeront une corporation en 1896.

La station d'embarquement des Escoumins est mise en place en 1934 ; la concentration des services à son quai confirme son rôle en 1961. De nos jours, les pilotes qui assurent la navigation entre Québec et Les Escoumins ainsi que sur le Saguenay sont regroupés dans la Corporation des pilotes du Bas-Saint-Laurent. Après l'obtention de son brevet, l'aspirant pilote poursuit sa formation avec deux années d'apprentissage et de compagnonnage sur le territoire où il travaillera. Il lui faudra encore huit ans de pratique pour obtenir son brevet de classe supérieure. Il joue le rôle de trait d'union entre le personnel du navire et les autorités du pays dont il doit faire respecter la réglementation. En ce sens, il ne peut être considéré comme un membre de l'équipage du bateau qu'il dirige mais comme un intervenant neutre, indépendant de l'armateur. Sa mission première consiste à garantir la sécurité du navire, des passagers et de l'équipage tout en assurant des transits rapides dans des conditions souvent difficiles.

Les services de communication et de trafic maritime

Dans une vaste salle à l'éclairage tamisé, des opérateurs concentrés et attentifs surveillent une armada d'écrans d'ordinateurs sur lesquels se meuvent des icônes représentant chacun des navires en déplacement dans leur secteur de surveillance. Au milieu de la nuit profonde, leur position stratégique, au-dessus d'un cap qui borde le Saint-Laurent, aux Escoumins, leur permet d'apercevoir *de visu* les feux de chaque navire qui remonte ou descend l'estuaire devant eux. Malgré l'ambiance feutrée des lieux, l'action n'a jamais de cesse dans le secteur d'embarquement et de débarquement des pilotes. Des voix se font constamment entendre dans la nuit, annonçant l'entrée ou la sortie de zone d'un navire, confirmant l'arrivée ou le départ du pilote ou sa prise des commandes. On s'échange des renseignements sur la météo, l'état des glaces, le plan de route ou la régulation du trafic, sur un ton amical et décontracté mais toujours respectueux.

• • •

À droite : Le commandant du bateau-pilote est prévenu du passage d'un paquebot durant la nuit. Il le rejoint et l'aborde à basse vitesse pour y faire monter le pilote ou l'en faire descendre.

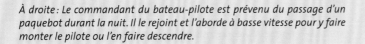

LES GRANDS ATTRAITS DU SAINT-LAURENT

Panorama dénudé et tout en rondeurs, typique des îles de la Madeleine.

Au chapitre des attraits naturels du Saint-Laurent, les mammifères marins sont en vedette. Les observateurs se massent sur le Cavalier Grand Fleuve de Croisières AML.

L'AIR
D'AUTOMNE

La fraîcheur qui s'empare des premières nuits de septembre sur les rives du Saint-Laurent annonce sans équivoque la fin de l'été. D'un trait de crayon qu'elle promène comme une baguette, la froidure dessine quelques taches orangées sur les bouleaux et les trembles. La nature amorce un délicieux concerto vivaldien par un mouvement *allegro non molto*, concerto pour automne, bois et vents. Un peu plus chaque jour, le vert agonise et, dans un dernier soubresaut, rougeoie avant de s'éteindre au sol. Du sommet des caps, du toit des montagnes, c'est toute la forêt qui s'embrase *largo e pianissimo sempre*. Dans une *danza pastorale* qui s'étend aux larges horizons, les sections écarlates, ambrées, marron et toutes leurs gammes improvisent un *adagio* qu'un souffle grandiose emporte jusqu'aux cathédrales des Laurentides. *Presto*, les feuilles frissonnent nerveusement sous l'impulsion du *maestro* qui attise l'incandescente luminosité. S'élève un *crescendo* discordant, avec jeux de lumières diffuses dans une cacophonie de feux, mais tout à la fois délicieusement harmonieux, bucolique et céleste. C'est *Rhapsodie in Blue… La Moldau… Carmina Burana*. La paix revient sur un petit matin sous la gelée blanche. Le coloris automnal du lichen des sommets transpose la saison au-delà d'une autre latitude. Avec octobre sans retour, l'effervescence de la vie abdique et les arbres jettent leurs feuilles par terre. Le pas qui les foule marque désormais la cadence d'une finale vaporeuse. Au délire flamboyant succède une grise nudité de laquelle s'élève un *requiem* libérateur. Le couvert nival effacera bientôt toute trace de l'œuvre qui s'est jouée ici.

Voilà le spectacle parfois sobre, souvent grandiose, que le croisiériste peut admirer à partir des ponts des grands navires qui sillonnent le Saint-Laurent en automne.

Durant les mois d'automne, alors que le temps peut se manifester de la plus capricieuse des façons, il n'est rien de plus voluptueux que d'être surpris sur le fleuve par le léger courant d'air qui donne un frisson à l'onde et à la peau. Et de voir poindre un voile de vapeur frivole venu de nulle part, qui erre sur la surface ou glisse sous le vent jusqu'à ce qu'il heurte la douce rondeur feutrée d'un promontoire de granit rose.

Difficile de ne pas être fasciné par cette échappée de brouillard qui s'effile, s'étire et s'étiole en caressant le faîte des arbres avec une infinie délicatesse. Qui s'infiltre entre chaque brindille des conifères, sous chaque limbe des feuillus. Et lèche un à un le calice des fleurs en faisant frémir les étamines. Créant un flou évanescent dans l'espace, la nuée se traîne lentement vers un cap où elle épouse à s'y fondre les contours d'un phare. Elle l'enveloppe complètement de ses tentacules comme le calmar géant des profondeurs étreignant un cachalot. Alors que le faisceau de lumière de la tour suffoque, une plainte glaciale s'élève, un long cri qui fait écho dans le nuage. La corne de brume répète le hurlement désespéré jusqu'à percer le voile du crachin, qui se dissout et rend l'âme comme par enchantement.

Au moment où les journées raccourcissent rapidement, alors que le temps se refroidit de jour en jour, survient le spectacle naturel le plus grandiose de l'automne québécois : la féerie des couleurs. Les nuits fraîches et la brièveté des jours amorcent ces changements chez l'arbre qui se prépare à l'hiver. La température influence fortement la variété et l'intensité des couleurs automnales : le froid détruit la chlorophylle, mais si les feuilles demeurent au-dessus du point de congélation ou si le temps est sec, les couleurs les plus flamboyantes se manifesteront de façon plus frappante. Des jours ensoleillés et secs suivis de nuits froides et sèches constituent les conditions idéales pour un automne aux couleurs ardentes.

Un mois d'automne compte habituellement plusieurs journées de belle lumière, entre autres à cause du refroidissement de l'air et de l'absence d'humidité. Les coloris d'automne ne sont toutefois pas aussi flamboyants dans toutes les régions. Les érablières sont

moins nombreuses plus à l'est du Saint-Laurent. Ainsi, les montagnes des Laurentides et des Appalaches arborent un peu de rouge et de teintes orangées, mais la plupart d'entre elles deviennent dorées à cause de la présence du peuplier faux-tremble et du bouleau.

L'arrivée de l'automne dans la région de Québec rougit les feuilles mais aussi les pommes. Cette saison est celle du maïs (un délice pour plusieurs Québécois, surtout servi avec beurre et sel), des citrouilles, des courges, des potirons et, surtout, des pommes. Et quoi de plus pittoresque, avant l'arrivée de l'hiver, que de grimper aux arbres pour y cueillir la manne délectable qui fera d'exquises compotes ou des tartes gourmandes? L'île d'Orléans, aux abords de Québec, est réputée pour ses nombreux vergers anciens. Plusieurs pomiculteurs y reçoivent les amateurs de cueillette et leur permettent de faire bonne provision de fruits croquants. On en fait également des cidres délectables ainsi que le plus délicieux des nectars que la terre québécoise puisse offrir, le cidre de glace, une liqueur onctueuse faite à partir des pommes cueillies en janvier, alors qu'elles sont gelées sur les branches et que le sucre s'y est concentré. Ce divin alcool n'a rien à envier aux fameux vins de glace de la vallée du Niagara.

Les voyageurs d'automne sont emportés par un vent de liberté. Effectivement, pour s'adonner au tourisme en dehors de la haute saison, il faut être libre comme l'air. Libre de son temps, libre de ses choix. Les voyageurs d'automne naviguent sur le Saint-Laurent et sur le fjord du Saguenay au gré des découvertes et des rencontres. Ils se déplacent à bord de leur hôtel flottant sans se demander quand leur rêve prendra fin, sans s'inquiéter du retour et sans regarder leur montre. Entourés de leurs amis, ils partagent le ravissement des sens devant une bonne table ou un panorama majestueux. Ils respirent l'air vivifiant sur les ponts, profitant au maximum de la douceur du climat. Les voyageurs d'automne, ce sont aussi et surtout des couples d'amoureux de tous âges qui savent se gâter et s'offrir le meilleur de la douce saison dans les décors maritimes les plus fabuleux.

L'automne est la saison de prédilection des croisières sur le Saint-Laurent.

Le SEA PRINCESS • *Le Sea Princess mesure 261 mètres de long et jauge 70 000 tonneaux. Le grand navire, qui peut transporter 2342 passagers, est la troisième unité de la classe Sun Princess. Ce très beau bateau a été livré à la compagnie Princess Cruises par les chantiers italiens Fincantieri en 1999.*

Calme, sérénité, immensité et majesté.

LES ÎLES DE LA MADELEINE

Pour plusieurs, les îles de la Madeleine représentent une destination idyllique à visiter au moins une fois dans sa vie. L'archipel des îles de la Madeleine compte principalement six îles reliées entre elles par des dunes. L'île d'Entrée est détachée du groupe et habitée par une petite communauté anglophone, tout comme Grosse Île, au nord de l'archipel. Les autres îles, îlots et rochers, appartenant à des particuliers ou faisant partie d'aires protégées, se trouvent au large.

Dans cet environnement en constante mouvance occasionnée par l'érosion et le déplacement des dunes, 240 espèces d'oiseaux survolent les 300 kilomètres de plages. Pour donner cœur et âme à cette fresque naturelle, il faut une race de monde qui se tient debout et parle haut et fort contre le vent, prête à affronter la mer déchaînée. Les Madelinots sont de cette race. Autrefois pêcheurs de morue et chasseurs de phoque, ils sont devenus pêcheurs de homard, de crabe, de pétoncle, de hareng et de tout ce que l'océan donne en tribut à ceux qui lui confient leur existence.

Le Vacancier, le bateau blanc du groupe CTMA, fait monter quelques remorques de cargo, plusieurs voitures et quelques autocaravanes de voyageurs qui vont vivre l'expérience singulière des îles de la Madeleine. Ce bateau passager et traversier a jadis navigué sur la Méditerranée, reliant les îles grecques. Dès son entrée en fonction, en juin 2002, *Le Vacancier* a fait fureur. La compagnie madelinienne navigue depuis 1945 et opère aussi le traversier reliant l'Île-du-Prince-Édouard à Cap-aux-Meules.

En haut : Érodées en fines dentelles, les falaises des rivages sont en perpétuelle transformation. En bas : La pêche au homard est la principale activité des pêcheurs locaux.

À gauche :
En haut : L'approche de l'île d'Entrée sur le Béatrice Hubert *de l'entreprise madelinienne Excursions en mer. Une fois par semaine, le* CTMA Vacancier *relie Montréal et les îles de la Madeleine. En bas : Le site historique de* La Grave *est un haut lieu du tourisme aux îles de la Madeleine.*

Pages 90-91 : Lieu d'affrontement d'une mer puissante et d'une terre fragile, les îles de la Madeleine savent charmer par leur beauté saisissante.

Le rocher Percé, l'image classique du tourisme au Québec.

LA GASPÉSIE
LE PARC NATIONAL
DE L'ÎLE-BONAVENTURE-
ET-DU-ROCHER-PERCÉ

Le rocher Percé constitue l'image la plus classique du tourisme au Québec, au même titre que le Château Frontenac. Cela ne l'empêche pas de continuer d'exercer encore une réelle fascination sur les voyageurs, et ce, en toutes saisons.

Il n'y a rien de plus bucolique que le lever du roi Soleil qui enflamme les parois du rocher Percé, célébré par l'ode déconcertante des mouettes tridactyles. L'énorme bloc calcaire a beau se dresser du haut de ses 88 mètres, avec ses 438 mètres de longueur, il continue de s'éroder. Il perd plus de 300 tonnes de pierre et de fossiles par année, le plus souvent de façon imperceptible mais parfois de manière plus spectaculaire. Ainsi, le 17 juin 1845, l'arcade du deuxième trou du rocher s'effondre, ne laissant plus que l'obélisque qu'on observe encore aujourd'hui. En effet, ce n'est pas un, mais deux trous que Jacques Cartier a décrits le 15 juillet 1534, le jour de la Saint-Bonaventure, lorsqu'il a mouillé à Percé et rapporté pour la première fois l'observation de ce phénomène naturel exceptionnel.

Droit devant Percé, un morceau des Appalaches de 5,8 kilomètres carrés a pris le large pour devenir l'île Bonaventure, qui fait partie du parc national de l'Île-Bonaventure-et-du-Rocher-Percé depuis 1985. Environ 200 000 oiseaux marins trouvent refuge d'avril à la fin octobre dans ce sanctuaire protégé depuis 1919. Des nuées de mouettes tridactyles, de guillemots, de cormorans à aigrettes et de petits pingouins s'accrochent aux falaises escarpées. Et une colonie de plus de 75 000 fous de Bassan, dont les couples inséparables reviennent nidifier année après année, élèvent et protègent farouchement leur progéniture sur le toit de l'île.

Pour apprécier ce décor et cette nature uniques en Amérique du Nord, il faut monter à bord d'un des bateaux passeurs des Bateliers de Percé pour une excursion de quelques heures qui conduit les passagers aux abords du rocher Percé et leur fait faire tout le tour de l'île Bonaventure. Cela permet d'admirer le vol et le plongeon de dizaines de milliers d'oiseaux marins, et de les voir sortir de l'eau avec un poisson dans le bec. D'autres sont à l'étroit dans leur nid avec leurs petits. Les nombreux phoques autour de l'île se chauffent au soleil sur les rochers ou sortent la tête pour observer les voyageurs avec curiosité. Une escale permet aux passagers de débarquer sur l'île où, après une randonnée facile de moins de 3 kilomètres, ils atteignent la colonie de fous de Bassan. Quelle merveilleuse expérience que d'approcher ces milliers de beaux oiseaux blancs au point d'entrer dans leur intimité !

La rive sud du golfe du Saint-Laurent présente un décor unique avec sa légion d'éoliennes qui battent des bras sur les sommets montagneux de la Gaspésie et de la région du Bas-Saint-Laurent.

Il n'est pas faux de dire que le Québec est à l'éolien ce que l'Arabie Saoudite est au pétrole : un important gisement. Les grands vents balaient les terres du Grand Nord du Québec et tout le littoral du Québec est très venteux avec des souffles de 6,5 à 9 mètres par seconde, selon les données recueillies par des chercheurs d'Environnement Canada. Le potentiel éolien est donc considérable. Dans les prochaines années, cette source d'énergie pourrait représenter 10 % de la production totale d'énergie électrique du Québec, l'un des plus importants producteurs d'électricité en Amérique du Nord.

En haut : Le CTMA Vacancier longe la côte gaspésienne au plus grand plaisir des croisiéristes. Au centre : Environ 75 000 fous de Bassan trouvent refuge sur l'île Bonaventure. En bas : Le parc d'éoliennes de la région de Cap-Chat, en Gaspésie.

À gauche : Les oiseaux marins nichent en grand nombre sur les falaises côtières de la Gaspésie. Ici, un couple de guillemots à miroir.

LE BAS-SAINT-LAURENT
LE BIC

Le parc national du Bic doit sa renommée au fait qu'il compte, dans un espace étroit de 33,2 kilomètres carrés, une concentration exceptionnelle d'écosystèmes marins et terrestres. Sur ce territoire de transition entre la forêt feuillue et la forêt boréale, le voyageur est fasciné par les impressionnantes barres rocheuses qui s'alignent parallèlement au fleuve et dont les surplombs s'élèvent jusqu'à 120 mètres. Le point culminant du parc, le pic Champlain, atteint 346 mètres. Le croisiériste peut y observer d'intéressants marais, des flèches littorales, des plages, des baies, des anses, plusieurs îles et pointes rocheuses. L'eider à duvet fréquente en bon nombre ce milieu. Mais l'attrait premier de cette région demeure le phoque gris et le phoque commun (l'emblème du parc), qui ne manquent pas de venir jeter un œil sur les bateaux colorés qui croisent chez eux. Avec un peu de chance, il est possible de les voir sortir la tête de l'eau, de les entendre respirer et, parfois, de distinguer tout leur corps lorsqu'ils nagent en surface ou, encore mieux, lorsqu'ils se font chauffer au soleil sur les rochers ou sur les plages.

La végétation maritime et les herbes grasses abondent sur le littoral des îles du Bic.

À gauche :
En haut : Les îles du Bic, près de la ville de Rimouski, font partie de l'un des parcs nationaux du Québec. En bas : Un phoque commun sort la tête pour observer avec curiosité les visiteurs venus le voir dans le parc national du Bic.

LA CÔTE-NORD

En longeant la rive de ce qu'il appelait alors «le Labrador» et «le Royaume du Saguenay», en 1534, Jacques Cartier porta un jugement sévère sur la région de la Côte-Nord en la qualifiant de «Terre de Caïn». Pourtant, aujourd'hui, les amateurs d'aventure qui prennent le temps de suivre la majeure partie des 1250 kilomètres de rivage de la Côte-Nord, où même ceux qui l'observent depuis les ponts des paquebots, deviennent éperdument amoureux de ce paradis d'exotisme nordique. Cette région si différente a merveilleusement conservé ses riches et pittoresques traditions maritimes. Son caractère sauvage et rebelle rivalise avec son accueil chaleureux. Elle a un accent musical hérité des gens de l'Acadie, de Terre-Neuve, d'Irlande, des Montagnais et des très nombreuses ethnies qui composent ses grandes villes industrielles, dont Sept-Îles, Baie-Comeau et Forestville. Son charme irrésistible exerce une fascination envoûtante.

La mer est un berceau qui attend
Un enfant perdu sur la terre
Et qui construit radeaux et chalands
Paquebots et voiliers et galères en rêvant

L'amour est un vaisseau qui attend
Un enfant chargé de vos rêves
Et qui fendra l'océan du temps
Vers l'espace où l'infini se lève à tout vent

Gilles Vigneault
La mer, l'amour, la mort

L'ÎLE D'ANTICOSTI

Comme les centaines de navires venus faire naufrage sur ses rives, Anticosti s'est échouée dans le golfe du Saint-Laurent avec la valse des continents, il y a des centaines de millions d'années. Voilà ce dont témoigne l'abondance incomparable de fossiles présents dans chaque roche calcaire. Lorsque les premiers Européens ont aperçu Anticosti, les Montagnais y chassaient l'ours depuis des millénaires. Puis arrive Jacques Cartier, le «découvreur» officiel du Canada, qui y voit en 1535 «une terre de haultes montagnes à merveille». En 1603, Samuel de Champlain la nomme «Anticosti» en identifiant les nombreux pièges qu'elle dresse aux navigateurs. Par la suite, Louis Jolliet, le premier aventurier et explorateur d'origine québécoise, devient amoureux de la grande île après avoir avironné de la baie d'Hudson à l'extrémité du Mississippi. Seigneur de Mingan et d'Anticosti, il l'habite de 1680 à 1690, lorsque William Phipps, le conquérant américain en route pour Québec, détruit ses installations. À son retour, après le siège infructueux de la ville de Québec, le brigantin *Mary* de la flotte de Phipps sombre sur les récifs d'Anticosti. À la débâcle, le capitaine John Rainsford met à l'eau une petite chaloupe qu'il a calfatée tant bien que mal et il rame 1500 kilomètres jusqu'à Boston, en 44 jours, pour quérir de l'aide.

Anticosti a semé la mort, mais elle a aussi donné la paix. Une solitude obsédante s'en dégage, devenant le refuge de ceux qui rêvent d'un nouveau monde en marge de la modernité oppressante. Les années, la vitesse, la cohue et toutes les affres du continent n'ont pas de prise sur Anticosti. Le passage du temps est rythmé par la foulée délicate du cerf en train de paître dans les prairies ; la saison de la vie est marquée par le retour du saumon dans la rivière Jupiter qui l'a vu naître ; les trilobites défient l'éternité, cramponnés aux parois des canyons que l'eau cristalline s'entête à éroder ; les hurlements désespérés des fantômes tentent de percer le brouillard alors que le soleil s'incline derrière les cathédrales de calcaire.

Anticosti est aussi devenue un vaste jardin zoologique naturel depuis le début du siècle, alors que le chocolatier et milliardaire français Henri Menier en était propriétaire. Il y a introduit des dizaines d'espèces animales dont le cerf de Virginie, qui compte aujourd'hui un cheptel de 120 000 têtes et qu'on voit à chaque détour. Le renard, le castor, le lièvre, l'orignal se sont également bien adaptés, tout comme la grenouille léopard qui a rempli son mandat : lutter contre la population de moustiques.

L'est de l'île d'Anticosti n'est qu'une succession de splendeurs naturelles comme le cap de la Table.

À gauche :
En haut : La côte de l'île d'Anticosti est une succession des grands caps et de larges baies. En bas : Port-Menier, seul village de l'île d'Anticosti, est entouré de champs fleuris et envahi par les cerfs de Virginie.

Pages 102-103 : La chute Vauréal se jette dans un des plus superbes canyons d'Anticosti.

LA RÉSERVE DE PARC NATIONAL DU CANADA DE L'ARCHIPEL-DE-MINGAN

Depuis 1984, toutes les beautés que recèle l'archipel de Mingan sont officiellement protégées et mises en valeur par la réserve de parc national du Canada de l'Archipel-de-Mingan. La quarantaine d'îles qui composent l'archipel de Mingan, qui s'étire au large de la Côte-Nord entre Longue-Pointe-de-Mingan et Aguanish, profitent d'un statut spécial de protection qui contribue à préserver une flore extraordinairement abondante et diversifiée. Sans compter les monolithes, formations géologiques exceptionnelles, qui se dressent un peu partout dans l'archipel, dont les spécimens les plus remarquables, telle la fameuse Bonne Femme, se trouvent sur l'île Niapiskau. Le parc propose principalement des activités d'interprétation pour les croisiéristes qui débarquent sur les îles où les conduisent les bateliers basés à Havre-Saint-Pierre.

Les oiseaux marins abondent: goélands à bec cerclé, balbuzards pêcheurs, mouettes de Bonaparte, sternes, grands chevaliers, petits pingouins, guillemots à miroir et, avec un peu de chance, des macareux moines qui passent en coup de vent, en plus d'une foule d'autres oiseaux pas toujours faciles à identifier. Les phoques gris ne sont pas en reste: ils montrent la tête régulièrement et viennent parfois se chauffer au soleil sur les rochers. Les petits rorquals ne sont jamais bien loin non plus. L'œil averti aperçoit leur souffle et leur dos au loin, à moins que la petite baleine, plus curieuse, vienne croiser dans les mêmes eaux que les kayakistes.

Sur plusieurs des îles de l'archipel de Mingan, la nature a pris le temps de ciseler dans le calcaire friable de grandes colonnes de pierre aux formes époustouflantes. Tout ce travail artistique remonte à la dernière glaciation, il y a 20 000 ans, alors que la Minganie était recouverte d'une couche de 2,5 kilomètres de glace. Sous le poids de cette calotte glaciaire, la croûte terrestre s'est enfoncée. Le réchauffement qui a suivi a fait se gonfler les océans au point que, il y a 10 000 ans, environ 85 mètres d'eau recouvraient l'archipel. Soulagé du poids des glaces, le continent a commencé à se relever progressivement.

Il lui a fallu 2800 ans pour émerger, et ce phénomène se poursuit encore. La nature a ainsi commencé à façonner ses premiers monolithes, qui reposent aujourd'hui au cœur de la forêt et dans la toundra maritime. Les monolithes résultent du travail de l'érosion (par l'eau, la glace et le vent) et de la variation du niveau de l'eau sur une roche calcaire extrêmement fragile. Le plus célèbre de ces monolithes, la Bonne Femme de l'île Niapiskau, présente des formes généreuses évoquant les courbes féminines. Les grottes, les arches, les profils étranges et les falaises de l'archipel de Mingan racontent des siècles d'évolution naturelle.

Le macareux moine, petit oiseau sympathique au bec coloré, est devenu l'emblème aviaire de la réserve de parc national du Canada de l'Archipel-de-Mingan, en plus d'avoir été adopté par toute la population comme la mascotte de la Minganie. Surtout visible au début de l'été, alors qu'il survole la surface de l'eau en rase-mottes en battant de ses courtes ailes de façon effrénée, le macareux moine est également appelé «perroquet des mers» et «calculot», du fait qu'il hoche constamment la tête comme s'il était en train de calculer. Il arrive à la mi-avril dans le secteur de la Minganie, principalement sur l'île aux Perroquets située à l'extrémité ouest de l'archipel. Cette île abrite encore un phare en opération et les bâtisses autrefois occupées par le gardien de phare et sa famille. Le macareux moine vient ici pour se reproduire. Le mâle et la femelle, qui forment un couple toute leur vie, creusent un terrier pour y installer leur nid fabriqué d'herbages arrachés avec leur bec. La femelle y pond un seul œuf qui sera couvé par le couple. Après l'éclosion, les parents nourrissent leur rejeton durant 38 à 44 jours en lui apportant des capelans et des lançons. À la fin de l'été, toute la colonie prend son envol vers le Sud pour revenir le printemps suivant.

En haut: Les monolithes les plus impressionnants se dressent sur l'île Niapiskau. Chacun de ces monuments naturels a été baptisé par le poète Roland Jomphe (1917-2003), le chantre de la Minganie. En bas: Il n'est pas rare d'apercevoir des rorquals communs ou des petits rorquals au cours d'une excursion en Minganie.

LE CENTRE BORÉAL
DU SAINT-LAURENT
L'AVENTURE GLACIAIRE

Nouvelle escale attrayante sur le Saint-Laurent, Baie-Comeau offre aux croisiéristes une occasion unique d'accéder à l'univers éblouissant des glaciations, un phénomène qui a modelé le paysage des rives du Saint-Laurent et de tout le Québec. La navigation vers la baie du Garde-Feu fait entrer le voyageur dans un jardin de pierre et de mer que les glaciers ont mis des millénaires à sculpter.

Cet amphithéâtre naturel est aujourd'hui envahi par des amateurs d'émotions fortes dont les cris d'exaltation se répercutent entre les murailles. Le Centre boréal du Saint-Laurent accueille ces amateurs qui se reconnaissent à l'instant du grand frisson, suspendus au-dessus des eaux bleu azur de la baie et dévalant la tyrolienne à vive allure. En même temps, un groupe hétéroclite prend le départ sur la *via ferrata* qui surplombe la rive. Les kayakistes, qui reviennent d'une excursion éblouissante de la baie Saint-Pancrace, ralentissent pour les observer et remarquent, à 60 mètres de hauteur, une alpiniste en herbe suspendue tout en haut de la paroi et qui rassemble tout son courage avant de descendre en rappel. Durant ce temps, des randonneurs s'informent des circuits pédestres dans la grande yourte ou cassent la croûte en admirant cette action incessante. Le Centre boréal du Saint-Laurent, qui a commencé ses activités à l'été 2006, réunit tous ces amants de plein air dans un décor naturel fabuleux et dans une ambiance de ludisme et de découverte. Le Centre boréal est aussi doté d'un centre d'accueil et d'interprétation situé dans l'ancienne église Saint-Georges, sur un site qui domine le fleuve Saint-Laurent. On y fait, de façon spectaculaire, la démonstration des effets du passage des glaciers sur tout le nord du continent.

Les installations portuaires de Baie-Comeau, qui comptent parmi les plus importantes au pays, accueillent environ 800 navires par année, répartis sur 12 mois d'opération.

Tyrolienne, escalade, via ferrata, *randonnée pédestre et kayak de mer composent l'aventure proposée dans un environnement modelé par l'action des glaciers.*

D'un bord à l'autre de la baie du Garde-Feu, sur le fil de la tyrolienne. Centre boréal du Saint-Laurent, Baie-Comeau.

LES CROISIÈRES-EXCURSIONS

Le Québec jouit d'un bassin hydrographique exceptionnel qui lui permet d'offrir de multiples activités liées au tourisme fluvial. De plus en plus de voyageurs provenant de partout dans le monde apprécient le caractère fascinant d'une croisière-excursion qui leur vaut de découvrir les splendeurs du Saint-Laurent et du fjord du Saguenay.

La vogue des excursions d'observation des baleines, à partir du début des années 1980, présageait une nouvelle période de fébrilité en ce qui a trait à la croisière-excursion en y intégrant les valeurs écotouristiques qui commençaient à s'imposer dans l'univers du voyage.

Au Québec, les principales entreprises qui offrent ces croisières sont surtout basées à Tadoussac. Une foule d'autres thématiques ont été développées au fil des ans par l'industrie, qui présente aujourd'hui un imposant catalogue d'excursions pour observer les phoques, les oiseaux, les sites naturels ou historiques ou des paysages sans pareil.

CROISIÈRE MARJOLAINE

Depuis 1974, Croisière Marjolaine est une entreprise pionnière dans le domaine des croisières d'interprétation au Québec et plus encore sur la rivière Saguenay. Après avoir subi des transformations majeures en 1992, le *Marjolaine II* a porté sa capacité à 400 passagers, mais il maintient toujours le même circuit touristique, avec escale dans le village de Sainte-Rose-du-Nord et poursuite jusqu'au cap Trinité, dans le secteur le plus spectaculaire du fjord.

Croisière Marjolaine possède aussi le navire *Nouvelle France* qui effectue des sorties dans la baie des Ha! Ha!, vers le Site de la Nouvelle-France et Sainte-Rose-du-Nord. Le bateau-mouche *Cap Liberté*, pour sa part, navigue entre L'Anse-Saint-Jean et la baie Éternité (parc national du Saguenay).

Les passagers du Sea Princess *débarquent du* Marjolaine II *pour retourner à bord.*

LA FAMILLE LACHANCE

Le Québec compte peu de «dynasties» familiales dans le monde de la navigation. La famille Lachance, originaire de l'archipel de L'Isle-aux-Grues, s'inscrit toutefois dans cette tradition depuis cinq générations. Le capitaine François Lachance utilise son plus grand bateau pour conduire les touristes vers le lieu historique du Canada de la Grosse-Île-et-le-Mémorial-des-Irlandais ou à travers les îles de l'archipel qui a grandement inspiré le peintre Jean-Paul Riopelle qui l'a habité et y est décédé en mars 2002.

CROISIÈRES COUDRIER

Avec plus de 20 ans d'expérience dans le domaine des croisières-excursions, l'entreprise familiale Croisières Coudrier, originaire de l'île aux Coudres, est présente dans plusieurs ports d'attache de la région de Québec. À l'occasion de visites très attendues, comme celle du *Queen Mary 2*, *Le Coudrier* amène ses passagers à la rencontre du majestueux paquebot ou l'escorte, le temps d'une courte croisière d'au revoir durant laquelle ses passagers deviennent des spectateurs choyés et privilégiés.

UNE EXCURSION À ÉMOTIONS FORTES : SAUTE-MOUTONS

Une des formules les plus originales de croisières-excursions est proposée à partir du Vieux-Port de Montréal, à quelques pas des quais d'escale des bateaux de croisière, avec l'entreprise Saute-Moutons qui offre des excursions de *jet boating* dans les rapides de classe 4 et 5 qui ont réussi à stopper la navigation sur le Saint-Laurent jusqu'à l'ouverture, en 1959, de la voie maritime qui les contourne.

En haut : Le capitaine François Lachance parle de la vie des gens de l'archipel de L'Isle-aux-Grues. *Au centre :* Le Coudrier *croise le* Queen Mary 2 *au large de l'île d'Orléans. En bas :* Les vagues des rapides de Lachine explosent devant le jet boat *de Saute-Moutons.*

À gauche :
En haut : Le Cap Liberté, *propriété de* Croisière Marjolaine, *explore les plus beaux secteurs du fjord du Saguenay. En bas :* Le bateau d'excursion Nouvelle-France *est amarré au bout du quai du Site de la Nouvelle-France, sur le Saguenay, où l'on trouve une reconstitution fascinante de Québec au temps de la colonie.*

LES GÉANTS DE L'ESTUAIRE

Elles dansent comme des ballerines cyclopéennes sur une scène infiniment vaste, immensément fluide, fabuleusement ondoyante. Avec une grâce qui contraste avec leur masse, elles s'élancent divinement dans des élans corporels que les anges leur jalouseraient. Avec la finesse d'un félin, les plus grandes créatures vivantes du monde animal viennent effleurer l'autre versant du miroir en se propulsant hors des abysses insondables. Elles rejoignent le monde des mammifères terrestres pour puiser leur ration de l'élément vital : l'oxygène. Ce faisant, elles nous accordent l'extraordinaire privilège de les admirer furtivement. Parfois, elles nous éblouissent avec leurs ébats impénétrables, à moins qu'il ne s'agisse de jeux de titans ou de chants de sirènes.

Depuis les années 1980, les baleines de l'estuaire et du golfe du Saint-Laurent ont volé la vedette aux plus célèbres attractions touristiques du Québec et de la côte Atlantique. La route d'eau qui conduit à la rencontre de ces géants des mers constitue une destination des plus excitantes !

Les baleines se retrouvent dans l'estuaire et dans le golfe du Saint-Laurent pour une seule et unique raison : la nourriture. Ce secteur est en effet l'un des plus riches au monde en krill, un minuscule crustacé que les grands mammifères ingurgitent à la tonne avec une gloutonnerie qui n'a pas son pareil. Les courants très froids qui suivent le relèvement progressif du fond marin à partir des Escoumins entraînent en surface une densité exceptionnelle de plancton végétal qui croît de façon exponentielle au contact de l'oxygène et de la lumière, alimentant conséquemment une densité extraordinaire de plancton animal. Les baleines à fanons et les autres animaux marins ont trouvé ici un garde-manger inépuisable.

Outre le géant rorqual commun, très souvent observé dans le secteur de l'estuaire du Saint-Laurent, il est aussi très fréquent de voir le plus petit des rorquals, qui pèse quand même jusqu'à 10 tonnes et qu'on appelait autrefois « gibar ». Cette baleine enjouée et solitaire s'approche souvent des embarcations. Elle est facilement reconnaissable à sa tête disproportionnée qui occupe 40 % de tout le corps.

Avec un peu de chance, les « écotouristes » aperçoivent le plus imposant animal jamais porté par la Terre, le rorqual bleu, dont les dimensions sont comparables à celles d'un Boeing 737. Comme preuve de sa démesure, mentionnons seulement que sa poche ventrale peut contenir jusqu'à 1000 kilos d'eau et de nourriture. Parfois, à cause d'une « raideur articulaire », la baleine bleue lance sa queue en l'air avant de plonger, un spectacle extrêmement excitant fort apprécié des observateurs.

Le rorqual à bosses, baleine qui lève la queue à tous les plongeons ou qui bondit hors de l'eau, était autrefois rarement présent en amont du golfe, dans le secteur de l'embouchure du fjord du Saguenay, mais depuis quelques saisons, il fréquente l'endroit de plus en plus souvent, en groupes parfois importants selon la période de l'année. Véritables exhibitionnistes, les rorquals peuvent faire surface plusieurs à la fois, la gueule grande ouverte, la tête complètement émergée avec les goélands qui se posent dessus où qui viennent manger dans la cavité béante. Ils plongent en frappant la surface de l'eau et se retournent en fouettant la mer de leurs nageoires latérales. Ils combleront les plus chanceux des observateurs avec des sauts hors de l'eau (*breaches*). Hallucinant ! Inoubliable !

Le mystérieux cachalot fait partie des visiteurs qui reviennent annuellement, bien qu'il soit beaucoup plus difficile à observer, puisque ses plongées sont très longues et ses apparitions en surface, plutôt courtes.

Le souffle court du marsouin, pour sa part, déjoue facilement les kayakistes, puisque cette petite baleine, qui ne fait que 1 mètre de longueur, est à peine plus longtemps visible qu'elle est audible. L'œil habitué arrive à distinguer son dos foncé qui se déroule en surface un court instant.

On aperçoit aussi nombre de phoques partout sur le Saint-Laurent et le Saguenay.

Plus rarement, des bancs entiers de dauphins à flancs blancs filent à la surface en bondissant hors de l'eau.

Pages 118-119 : Émotions fortes et rencontres inoubliables sont au rendez-vous lors des excursions aux baleines. Un rorqual à bosse lève la queue avant de plonger devant un pneumatique de l'entreprise Croisières Essipit.

Le souffle des baleines peut être visible et audible à des kilomètres de distance.

LES BÉLUGAS

Isolés de leurs congénères du Grand Nord, les bélugas sont d'autres habitués du Saguenay et du Saint-Laurent. La population de ce troupeau estimé à environ un millier est une espèce protégée puisqu'elle est menacée d'extinction. Le niveau de reproduction encourageant des bélugas laisse cependant poindre quelques espoirs.

Leur nage désinvolte leur confère un air enjoué, heureux, insouciant. Pourtant, la réalité est tout autre. Après avoir été décimés par la chasse, les bélugas de l'estuaire du Saint-Laurent et du Saguenay sont aujourd'hui menacés par la pollution, mourant de maladies industrielles qu'ils partagent avec les anciens travailleurs des grandes usines métallurgiques. Des siècles durant, ces baleines à dents ont été convoitées par les chasseurs pour leur graisse et pourchassées par les pêcheurs qui les accusaient de nuire à leur entreprise par leur consommation de morue ou de saumon, entre autres. Le gouvernement offrait même une prime pour leur capture. Le troupeau a périclité à un tel point que l'on a dû en interdire la chasse en 1983 et inscrire le béluga du Saint-Laurent sur la liste des animaux en danger de disparition. Malgré tout, plusieurs bélugas s'échouent chaque année, mortellement intoxiqués à cause des invertébrés, des anguilles ou des mollusques fortement contaminés dont ils se nourrissent dans les fonds marins pollués. Vivant en vase clos, sans échange avec les peuplements de la mer de Beaufort, confrontés à un grave problème de consanguinité, les bélugas sont plus fragiles génétiquement. On leur attribue une espérance de vie maximale de 30 ans, alors que les jeunes atteignent la maturité à 7 ans. L'aire de distribution estivale du béluga, qui passe toute l'année dans le Saint-Laurent, couvre une large portion de l'estuaire du Saint-Laurent ainsi que la quasi-totalité du fjord du Saguenay. Son approche est formellement interdite puisqu'il a été établi que la présence des bateaux de plaisance ou d'observation affecte son comportement.

Le béluga du Saint-Laurent a été chassé jusqu'en 1983. De nos jours, cette espèce protégée souffre néanmoins de la pollution.

L'OBSERVATION DES BALEINES

La première manifestation de la présence d'une baleine au large est un souffle, un jet de condensation qui s'élève à l'expiration de la baleine avec une «détonation» impressionnante dès qu'elle affleure la surface. La baleine achève ainsi une plongée de plusieurs minutes dans les riches bancs de krill et de poissons fourrages dont elle se délecte. Généralement, le rorqual reste quelques instants en surface, le temps pour les observateurs de contempler cette masse imposante, puis il souffle trois ou quatre fois avant de faire le dos rond et de retourner dans les profondeurs de l'univers marin.

Pour maximiser les chances d'apercevoir des mammifères marins en cours de navigation, surtout sur les eaux ouvertes du golfe, il faut avant tout scruter l'horizon de façon attentive et soutenue. Les lunettes d'approche s'avèrent peu pratiques à cette étape, car elles réduisent le champ de vision alors qu'il faut au contraire l'élargir le plus possible. De toute façon, par temps clair, le souffle d'une baleine est visible à l'œil nu des kilomètres à la ronde. La lunette d'approche ne sert donc qu'après avoir localisé un souffle. Même là, il reste pertinent de scruter régulièrement l'horizon à l'œil nu puisqu'une baleine, à part le petit rorqual, est rarement seule. Avec des jumelles braquées sur une baleine, l'observateur risque de ne pas voir les autres tout autour ou encore de perdre de vue les baleines lorsqu'elles se déplacent en surface, même si elles ne plongent pas. Un observateur habitué peut évaluer leur vitesse et l'endroit de sortie et d'expiration, mais, de façon générale, il vaut mieux scruter tout l'horizon.

Ceux qui ont la chance d'observer les baleines de près entendent clairement leur souffle qui retentit telle une déflagration à l'instant où leur évent entre en contact avec l'air. Très exceptionnellement, par calme plat, va-t-on entendre l'inspiration d'à peine quelques secondes qui ressemble au son grave que produirait quelqu'un soufflant dans un long tuyau.

Les touristes qui visitent les côtes nord et sud du Saint-Laurent ainsi que les Maritimes et la côte est américaine jusqu'à la presqu'île de Cape Cod ont l'occasion de se lancer à la recherche des grands mammifères marins à bord de toute une gamme d'embarcations, des plus spacieuses accueillant au-delà de 600 passagers jusqu'aux hors-bord d'une capacité de 12 passagers. Les amateurs de sensations fortes préfèrent les pneumatiques rapides et sécuritaires, alors que les plus audacieux adoptent le kayak de mer, silencieux et agile, pour des rencontres intimistes. Les personnes qui voyagent en groupe ou qui apprécient le confort optent plutôt pour les grands navires tout aussi efficaces, avec à bord des guides naturalistes qui commentent le spectacle, le situent dans son contexte environnemental et fournissent une foule de renseignements utiles.

Le code d'éthique en vigueur chez les bateliers invite à maintenir une distance de 200 mètres entre les embarcations et les animaux. De façon générale, les bateliers évitent aussi d'approcher une baleine au repos ou d'encercler les mammifères marins, ce qui peut facilement se produire lorsque de nombreux kayakistes font une excursion. Toujours selon ce code d'éthique, pas plus de cinq embarcations peuvent se trouver à proximité d'un ou plusieurs animaux, et les approches doivent se faire en oblique plutôt que de face, perpendiculairement ou par-derrière.

En plus des cinq espèces précédentes, qui sont les plus nombreuses et les plus faciles à rencontrer dans l'estuaire et le golfe du Saint-Laurent, il y a plusieurs autres espèces de mammifères marins.

Le phoque commun remonte le Saint-Laurent jusqu'à la hauteur de l'île aux Coudres. Sa propension à grogner, à gémir et même à hurler puissamment lui a valu le surnom de «loup marin» qui est largement utilisé dans toutes les régions côtières et désigne aussi les autres espèces de phoques. Le phoque passe de longues heures sur les rochers, les récifs et les barres de sable, souvent dans des positions incongrues.

La tête massive du phoque gris, aussi appelé «tête de cheval», est facile à reconnaître lorsque l'animal, qui peut peser jusqu'à 370 kilos, émerge de l'eau pour observer les alentours avec insistance. Il s'agit de l'une des plus grosses espèces de phoque. Le mâle adulte est gris foncé alors que la femelle a le dos gris et le reste du corps tacheté de noir.

Le phoque du Groenland compte parmi les pinnipèdes les plus abondants au monde. Au moment de la mise bas, dans la région de Terre-Neuve et des îles de la Madeleine, plusieurs touristes se rendent sur la banquise pour observer les petits blanchons à la croissance extrêmement rapide : en moins de deux semaines, le poids du nouveau-né peut quadrupler. Le phoque du Groenland a une petite tête noire au nez court et son cou arbore une large bande très pâle. Il pèse 135 kilos et mesure 1,63 mètre en moyenne.

Bien que la région de l'estuaire élargi du fjord du Saguenay, soit les secteurs de Tadoussac, des Bergeronnes et des Escoumins, demeure le haut lieu de l'observation des mammifères marins, plusieurs observations extrêmement intéressantes sont aussi possibles aux abords de la rive sud du Saint-Laurent. Le voyageur qui a la chance de naviguer tout le long du golfe et de l'estuaire du Saint-Laurent peut apercevoir des baleines partout. La Minganie, de la Basse-Côte-Nord jusqu'au large de Sept-Îles, est considérée à juste titre comme l'endroit de prédilection pour l'observation des rorquals à bosses et les baleines bleues, bien que ces espèces couvrent un territoire immense allant presque de l'Atlantique jusqu'aux abords de l'embouchure du Saguenay. Du printemps à l'automne, les petits rorquals et les rorquals communs fréquentent l'estuaire du Saint-Laurent. En de rares occasions, quelques baleines franches noires apparaissent au large des côtes de la Gaspésie. Les épaulards peuvent aussi fréquenter les abords lointains du détroit de Belle Isle, à la croisée du Labrador, de la Basse-Côte-Nord et de Terre-Neuve. Les cachalots font quant à eux quelques apparitions remarquées mais dispersées entre Tadoussac et le golfe. En fait, les mammifères marins se déplacent d'année en année en suivant leur nourriture. Totalement imprévisibles, ils peuvent se faire rares durant plusieurs années successives. On a craint un temps que la baisse du niveau d'oxygène, la raréfaction du krill et le refroidissement des eaux ne provoquent un déplacement des populations de mammifères marins, mais, prouvant qu'il ne faut jurer de rien, les baleines sont revenues en abondance et en diversité.

L'observation des baleines attire chaque année plusieurs centaines de milliers de touristes de partout dans le monde.

EN KAYAK DE MER

Le kayak de mer permet d'entrer en contact de façon inoubliable avec l'univers des mammifères marins, un monde fabuleux. Cette activité de plein air, directement inspirée des traditions esquimaudes, permet d'observer la nature de près, dans un environnement grandiose et silencieux, dans le calme, la contemplation et l'admiration. La pratique du kayak de mer a décuplé au cours des 20 dernières années partout au Québec et dans le nord-est du continent. On voit de plus en plus de ces minuscules esquifs colorés près des côtes et sur le cours du fjord du Saguenay, une destination incomparable pour les kayakistes. Des dizaines de milliers d'amateurs ont adopté cette petite embarcation agréable, stable et sécuritaire, longue de 5 à 6 mètres, dans le cas du solo, et de 6 à 7 mètres pour un tandem. D'autant plus qu'il est des plus faciles de s'initier au kayak de mer : une dizaine de minutes suffisent à assimiler les règles de base et il ne faut que quelques minutes de plus pour s'y sentir à l'aise. Compte tenu de la température glaciale des eaux de l'estuaire et du golfe du Saint-Laurent et du grave danger que cela représente pour les kayakistes, le port d'une combinaison isothermique est de règle dans ces régions. Le professionnalisme et l'expertise des pourvoyeurs locaux assurent par ailleurs une pratique sécuritaire de ce sport.

Le kayak de mer permet un contact inoubliable avec l'univers des mammifères marins.

LE FJORD
DU SAGUENAY

Le Rotterdam *double l'île Saint-Louis dans un secteur grandiose du fjord du Saguenay.*

LE CHEMIN
QUI MARCHE

À l'origine, le fjord du Saguenay est un «chemin qui marche» pour les autochtones qui empruntent son cours afin de relier le Saint-Laurent et les vastes régions nordiques. Il devient ensuite la porte d'entrée d'un mystérieux royaume de l'imaginaire, le «Royaume du Saguenay», avec l'explorateur Jacques Cartier en 1535. Puis il se transforme en Domaine du Roi et en Route des fourrures. En 1838, les premiers colons à ouvrir ce territoire presque vierge prennent d'assaut le fjord pour s'installer sur ses rives et en exploiter les ressources. Peu de temps après, le Saguenay se transforme en destination touristique de rêve avec les fameux «bateaux blancs» qui mèneront les croisiéristes devant le cap Trinité et la statue de Notre-Dame du Saguenay jusque dans les années 1960. Aujourd'hui, le Saguenay constitue une grande voie de navigation commerciale et de plaisance ainsi qu'un terrain de jeu monumental en toute saison.

Le fjord du Saguenay, un chemin qui marche pour les Innus, et un royaume mystérieux pour les explorateurs européens.

LA NAVIGATION,
LA COMMUNICATION
ET LE TRANSPORT

Au XIXe siècle et durant une bonne partie du XXe, la navigation constitue le seul mode de transport des biens et des personnes sur le Saguenay, le seul moyen de communication avec le reste du Québec et le monde. Le trafic maritime s'intensifie à compter de 1838, année où une goélette conduit les 48 premiers colons qui s'élancent à la conquête du Saguenay. Avec l'évolution rapide de la technologie, la vapeur succède à la voile et, en 1850, un navire commercial de la compagnie Price, le *Rowland*, assure la première liaison régulière entre le Saguenay et Québec. Le *Saguenay* lui succède en 1854. En 1870, deux entreprises sont actives sur le Saguenay : la compagnie des Remorqueurs du Saint-Laurent et la Canadian Steam Navigation Company, remplacée par la puissante Compagnie du Richelieu, qui transporte de la marchandise en plus d'accueillir jusqu'à 15 000 passagers à son bord certaines années. À cette époque, le transport maritime du bois est tout aussi florissant.

À partir du milieu du XIXe siècle, les croisières touristiques sur le fjord connaissent une croissance phénoménale. La mode est relancée vers 1930 par les « bateaux blancs » de la Canada Steamship Line. Même si cette grande tradition s'est éteinte à la fin des années 1960, en réalité, elle persiste toujours, puisque les plus grands paquebots au monde fréquentent encore assidûment le fjord, aux côtés de plus petits navires qui y pénètrent chaque jour pour des excursions de quelques heures.

Le MAASDAM • *Le Maasdam est de loin le navire qui navigue le plus souvent et le plus longtemps sur le Saint-Laurent à partir de Boston, de New York ou de Fort Lauderdale jusqu'à Montréal. Sa première visite en saison se passe souvent en mai. Ce navire, qui a fait l'objet de rénovations de 40 millions de dollars il y a quelques années, incarne parfaitement la tradition maritime hollandaise de son armateur.*

Le trafic maritime sur le Saguenay reste appréciable, avec environ 250 navires qui fréquentent le fjord durant toute l'année. De ce nombre, 75 % se dirigent vers les installations de la compagnie d'aluminium Alcan, à Ville La Baie.

Le mot « Saguenay » désigne le territoire « d'où sort l'eau » et non pas la rivière : il serait formé de deux éléments tirés de la langue montagnaise ou huronne-iroquoise, soit *saga* et *nipi*, dont l'association signifie « d'où l'eau sort ». Selon une autre hypothèse, « Saguenay » proviendrait du mot montagnais *sakini* qui veut dire « là où l'eau sort ».

Affluent de la rive nord du Saint-Laurent, long de 160 kilomètres, le Saguenay prend sa source dans la Grande Décharge et la Petite Décharge du lac Saint-Jean. Son embouchure est située à près de 200 kilomètres au nord-est de la ville de Québec, son bassin couvre 88 000 kilomètres carrés et son débit moyen est de 1760 mètres cubes à la seconde. La vallée glaciaire dans laquelle coule la plus grande partie de la rivière Saguenay possède les caractéristiques d'un fjord, bien qu'elle ne soit pas située sous de hautes latitudes, comme le sont la grande majorité des fjords qu'on trouve en Scandinavie, en Amérique du Nord, en Amérique du Sud, en Nouvelle-Zélande, en Arctique, en Islande et en Écosse. En cela, le fjord du Saguenay constitue une rareté que l'on a crue longtemps, et faussement, unique : certains autres cas d'exception, de dimensions plus modestes, existent au Labrador et à Terre-Neuve et un dans le Maine, sur l'île du mont Désert. Il s'en trouverait même un autre à New York, à l'embouchure de la rivière Hudson. Sans être unique, le fjord du Saguenay se démarque toutefois des autres fjords par sa situation géographique méridionale et ses dimensions impressionnantes.

Pour être considéré comme tel, un fjord doit répondre à des critères précis. Le premier a trait à sa forme. L'existence d'un fjord est en effet liée à la présence d'une vallée creusée par le passage d'un ou de plusieurs glaciers, lui donnant la forme d'une auge glaciaire, soit une vallée en « U », avec des parois rocheuses abruptes et imposantes. Le phénomène d'excavation de la vallée par le glacier est appelé « surcreusement ».

Par ailleurs, un fjord doit communiquer avec la mer à une extrémité et recevoir un apport d'eau douce à l'autre, ce qui suscite un mélange des eaux marines et douces. Une autre caractéristique du fjord est la présence d'un seuil rocheux à son embouchure ou d'un verrou glaciaire transversal formé de roches plus résistantes et de résidus de moraine que le glacier a poussés devant lui. Dans le cas du Saguenay, le seuil rocheux s'avance jusqu'à 4 kilomètres en avant de l'embouchure et est précédé d'une fosse de 230 mètres un peu en amont de Tadoussac.

Les fjords se caractérisent également par la présence d'une très forte stratification des eaux près de la surface, laquelle est causée par un changement rapide de la salinité, de la température et de la densité des eaux avec l'accroissement de la profondeur. Ce phénomène engendre une couche intermédiaire appelée « thermohalocline » résultant de la superposition d'une eau douce et relativement chaude, qui provient du bassin versant, et d'une masse d'eau salée et froide du dessous, qui provient de l'estuaire et du golfe du Saint-Laurent ; ces eaux pénètrent en deçà du verrou pour se déposer dans les profondeurs du fjord.

En été, la nappe superficielle atteint en surface des températures variant entre 16 °C et 18 °C. Sous cette couche d'une épaisseur d'environ 10 mètres, à une profondeur d'une vingtaine de mètres, se situe la nappe profonde qui va jusqu'au lit du fjord et dont la température oscille entre 0,4 °C et 1,7 °C.

Fait étonnant à noter : la masse d'eau marine qui entre dans le Saguenay par son embouchure circule de l'aval vers l'amont, donc en sens contraire du courant d'écoulement des eaux douces de surface. Moins dense et moins lourde, l'eau douce qui provient du lac Saint-Jean et des affluents du Saguenay glisse littéralement sur l'eau salée en coulant vers le Saint-Laurent.

Les fjords ont aussi d'autres particularités générales, toutes présentes dans le fjord du Saguenay, qui nous permettent de mieux comprendre ou de mieux visualiser certains aspects de leur évolution. Ainsi, par exemple, les vallées suspendues perpendiculaires à celle du fjord, situées à une altitude relativement élevée, ont déjà contenu une langue glaciaire.

D'une longueur d'une centaine de kilomètres, ce qui en fait un des plus longs fjords au monde, et d'une

largeur variant de 1 à 3,5 kilomètres, le fjord du Saguenay occupe une profonde entaille dans les Laurentides, encadré de falaises escarpées d'une hauteur moyenne de 150 mètres, atteignant à certains endroits plus de 400 mètres, comme le cap Trinité, avec ses 411 mètres, et le cap Éternité, haut de 457 mètres.

Selon de récentes études sur la profondeur réelle du fjord, l'accumulation de sédiments sur le fond du Saguenay peut atteindre plus de 1400 mètres à certains endroits, soit presque cinq fois plus que la profondeur maximale actuelle du Saguenay. Sur une grande part de son cours, l'accumulation est de 400 mètres, certaines zones ayant de 600 à 800 mètres d'épaisseur de sédiments. En aval de la baie Sainte-Marguerite, les chercheurs ont détecté des couches de sédiments quaternaires d'une épaisseur allant de 1000 à 1400 mètres, situés de part et d'autre de l'anse de Roche. Par conséquent, la profondeur réelle du fjord du Saguenay dépasse 2000 mètres si l'on prend en considération le relief présent au-dessus du niveau de la mer. Imaginez l'abysse que nous aurions sous les yeux si, du haut des grands caps, nous pouvions contempler le fjord vide de ses eaux et des sédiments que

les glaciers, les glissements de terrain et les crues printanières y ont laissés !

Le Saguenay, comme le Saint-Laurent, connaît deux cycles de marées par jour, dont chacun s'étend sur une période de 12,42 heures. Chaque cycle comprend une période de marée basse et une période de marée haute. Les plus fortes marées de l'ensemble du système du Saint-Laurent sont enregistrées dans les secteurs de rétrécissement tels que l'île d'Orléans, devant la ville de Québec, Saint-Joseph-de-la-Rive, devant l'île aux Coudres, et Saint-Fulgence, sur le Saguenay. Le marnage moyen d'une marée est d'environ 4,6 mètres dans ces zones et peut s'élever à 7 mètres au moment des périodes de vive eau. Dans le Saguenay, l'amplitude de marée augmente graduellement, passant de 4 mètres à son embouchure à 6 mètres à son départ.

Ci-dessus : Le NORWEGIAN DAWN • *Entré en service en 2002, le* Norwegian Dawn *fait partie de la flotte de la Norwegian Cruise Line. Il est le second de deux navires construits en Allemagne au chantier maritime Meyer Werft de Papenburg. Il peut prendre à son bord 2 224 passagers et 1 126 membres d'équipage. Il se démarque par la magnificence de son atrium de 8 étages et par les proportions de ses suites jumelles, qui comptent parmi les plus grandes en mer, avec leurs 1 752 mètres carrés.*

En haut : Les brumes du Saguenay s'emparent des sous-bois riverains. En bas : Le Regal Princess conduit ses passagers à la découverte d'un des phénomènes naturels les plus extraordinaires du continent nord-américain : le fjord du Saguenay.

À gauche : Les plateaux de la rivière Saguenay se couvrent des premières neiges automnales.

L'Anse-Saint-Jean, le romantisme bucolique pur et grandiose à la fois.

UNE NATURE FABULEUSE

Les deux caps dont les noms éveillent dans l'imagi-
nation le sentiment d'une grandeur exceptionnelle,
d'une sublimité souveraine…

Arthur Buies

L'étape devant le cap Trinité constitue depuis toujours
un point culminant des croisières sur le Saint-Laurent.
Ils sont légions les poètes, les auteurs, les journalistes,
les peintres, les photographes et toutes les grandes âmes
au tempérament artistique qui ont vu leur inspiration
s'élever à des sommets olympiens devant la magnificence
des deux géants de granit qui gardent l'entrée de la
baie Éternité.

Sur le versant ouest, le cap Trinité est orné, depuis
1881, de la statue gigantesque de la Vierge, Notre-Dame-
du-Saguenay, qui veille sur la navigation en écoutant les
hommages que lui rendent quotidiennement les bateaux
de croisière s'arrêtant à ses pieds pour lui faire entendre
l'*Ave Maria*.

Sur la rive Nord, faisant face au cap Éternité, le
plus grand des deux colosses, les caps Liberté, Égalité et
Fraternité ont été désignés ainsi en 1989 pour souli-
gner le bicentenaire de la Révolution française. Le parc
national du Saguenay, voué à la protection de ce territoire, est jumelé depuis 1984 au parc national des
Cévennes, en France.

Située face à l'une des plus grandes profondeurs du
fjord du Saguenay, cette baie magistrale dénude, à marée
basse, un large delta conique formé par l'accumulation
des sédiments transportés et déposés par la rivière qui se
heurte aux eaux du fjord. La baie se comble ainsi peu à
peu, avançant d'environ 3 mètres par année. La rivière,
pour sa part, s'est formée il y entre 190 et 175 millions
d'années, au moment de l'affaissement du lit du Saguenay
qui a créé tout un réseau de failles secondaires dans
lesquelles coulent maintenant plusieurs des cours d'eau
tributaires du Saguenay.

Posée sur sa stèle vertigineuse depuis 1881, la statue de Notre-Dame-du-
Saguenay est l'objet d'un rituel : les bateaux de croisière s'arrêtent à son
pied et les passagers entonnent l'Ave Maria.

LE ROYAUME DU SAGUENAY

Le fjord du Saguenay a préservé son caractère naturel farouche au creux d'un amphithéâtre monumental que les glaciers ont sculpté dans le granit. On y détecte la marche infiniment lente des âges et la mémoire du temps mêlées à l'air salin ou aux embruns marins. Car le Saguenay, c'est bel et bien la mer en plein cœur du Québec, avec ses jusants impressionnants, l'eau saumâtre, les bélugas et les effluves maritimes. Le fjord ne cesse d'émerveiller avec ses horizons qui se peignent en nuances, du matin au soir, du soleil aux nuages, d'été en hiver, de gel en doux temps, de montagnes en eaux sombres.

Le fjord du Saguenay est au cœur de ce que l'on désigne depuis près de cinq siècles comme le «Royaume du Saguenay». Jacques Cartier, le premier, a utilisé cette désignation dans sa relation de 1535-1536. Deux Iroquoiens de Stadaconé qu'il ramenait de France lors de son second voyage lui ont présenté le pays qu'il admirait du large de Tadoussac comme un «Royaume appelé Saguenay, où les gens étaient habillés comme en France et où se trouvaient des mines de cuivre rouge».

Cette appellation, Royaume du Saguenay, a été reprise par tous les explorateurs et les auteurs jusqu'à aujourd'hui. Adoptée dans la tradition populaire comme dans la culture régionale, elle est encore d'usage courant.

Saguenay et la baie des Ha! Ha!, une escale de plus en plus prisée des croisiéristes.

Le DEUTSCHLAND • *Le Deutschland, navire de haut de gamme, a été lancé en mai 1998. Il mesure 574 mètres de long et peut accueillir 636 passagers. Il appartient à la Peter Deilmann Cruises.*

EN ESCALE

QUÉBEC

L'escale au port de Québec constitue le clou de toute croisière sur le Saint-Laurent, l'étape mémorable, le plus merveilleux moment au cœur d'une expérience déjà riche en émotions et en révélations. Dès la première moitié du XIXᵉ siècle, la clientèle touristique américaine a adopté la ville de Québec à cause de la singularité de sa culture et de son histoire. Aujourd'hui, environ 100 000 passagers (croisiéristes et équipage) visitent Québec annuellement et 20 lignes de croisières l'ont choisie comme destination.

Dès l'approche de Québec, au goulot créé par le rétrécissement du Saint-Laurent, là où le Château Frontenac se dresse tel un cerbère, le voyageur est frappé par le caractère unique de cette capitale historique, comparable à nulle autre cité nord-américaine.

Berceau de la Nouvelle-France, Québec tient plus de l'Europe que de l'Amérique tant par sa population, à 95 % de souche française, que par son capital architectural et son ambiance franchement latine. Par beau temps, les terrasses des cafés se remplissent ; les rues étroites de la Vieille Ville débordent d'animation ; les galeries d'art et les boutiques étalent leurs couleurs ; les restaurants déversent leurs effluves odoriférants dans l'air ; les musiciens de rue adoucissent la vie ou invitent à entrer dans la danse. Les pavés des ruelles exiguës, les maisons de pierres, les clochers de cuivre, les fenêtres à carreaux des édifices, tout évoque ce qu'on appelle ici «les Vieux Pays». Les anciennes fortifications, le parlement où siège l'Assemblée nationale du Québec, les nombreux bâtiments administratifs et les monuments imposants confèrent à la ville la stature de capitale, un titre de notoriété qu'elle porte avec une certaine flamboyance.

La richesse patrimoniale de Québec a d'ailleurs été reconnue par l'UNESCO qui, en 1985, a déclaré l'arrondissement historique de la ville «Joyau du patrimoine mondial», une première mondiale.

Le Queen Mary 2 *accosté à proximité du Vieux-Québec.*

L'HISTOIRE

En langue algonquine, *Kebec* signifie «là où la rivière se rétrécit». En tant que doyenne des villes du continent nord-américain au nord de Mexico, Québec affiche un passé d'une richesse exceptionnelle. À la croisée de tous les épisodes décisifs de l'histoire de la Nouvelle-France, du Canada et du Québec moderne, la ville de Québec apparaît sur les mappemondes vaporeuses du XVIe siècle et, dès 1535, elle nourrit l'imaginaire européen. Le lieu stratégique où allait se dresser la ville de Québec porte alors son nom indien, *Stadaconé*. C'est le «découvreur» du Canada, Jacques Cartier, qui donne à la falaise bordant le fleuve le nom de «cap Diamant», puisqu'il espère vivement rapporter en France des pierres et des métaux précieux qu'il croit voir poindre dans cet escarpement. C'est d'ailleurs la mission que lui a confiée le roi François 1er, à l'exemple des têtes couronnées d'Espagne et d'ailleurs qui remplissent leurs goussets de l'or du Nouveau Monde. Malheureusement, tous leurs espoirs sont déçus; après le troisième voyage de Jacques Cartier vers le Saint-Laurent, on n'entend plus parler de la Nouvelle-France jusqu'au début du XVIIe siècle, alors que le commerce des fourrures ravivera l'intérêt envers les terres inhospitalières d'outre-Atlantique.

Après quelques tentatives d'implantation sinon infructueuses du moins difficiles sur les côtes des Maritimes, le poste de traite de Tadoussac est établi en 1600. En 1608, Samuel de Champlain jette enfin les bases d'une véritable colonie permanente à Québec. Il aménage au pied du cap Diamant quelques bâtiments fortifiés qu'il appelle l'«Abitation». Tout comme lors des expériences précédentes, le premier hiver se révèle dramatique avec la mort de 20 hommes sur 28, victimes du scorbut et de la sous-alimentation. Cela n'empêche cependant pas Québec de naître et de grandir jusqu'à devenir la pierre d'assise de la présence française en Amérique du Nord. Le peuplement progresse lentement, puisque la France ne voit pas l'intérêt d'investir dans le développement de ces «quelques arpents de neige», préférant plutôt en soutirer sans retour les ressources naturelles.

Les activités commerciales et industrielles se concentrent progressivement dans la Basse-Ville de Québec. Les institutions religieuses, omnipotentes à cette époque, préfèrent la Haute-Ville où elles établissent leurs institutions.

À cause de son rôle politique et économique, Québec devient l'enjeu central des éternels conflits qui opposent la France et l'Angleterre en Europe et qui se transposent dans le Nouveau Monde. En 1629, la ville passe aux mains des Anglais après la reddition devant les frères Kirke. Puis elle revient aux Français en 1632. Elle résiste au siège des forces britanniques en 1690, mais l'Angleterre ne lâche pas prise pour autant. En 1759, lors de la bataille décisive sur les plaines d'Abraham, le général Wolfe défait les troupes du marquis de Montcalm. Lorsque la Nouvelle-France est cédée aux Britanniques par le traité de Paris, en 1763, Québec compte 9000 citoyens.

La ville de Québec a toujours été bien servie par sa situation géographique extrêmement enviable : elle constitue la porte d'entrée de la colonie, la voie d'accès maritime pour tout le nord-est du continent ainsi que la plaque tournante du commerce du bois et des échanges commerciaux triangulaires entre la métropole, les Caraïbes et le Canada. Elle a néanmoins été supplantée assez rapidement par Montréal avec le dragage du fleuve au XIXe siècle et l'arrivée du chemin de fer qui a réduit substantiellement son rôle sur l'échiquier du transport. Dans les années 1920, Québec a maintenu son ascendant politique et militaire tout en connaissant une certaine prospérité, grâce surtout à l'industrie de la chaussure qui, très présente dans la Basse-Ville, faisait travailler nombre de nouveaux immigrants irlandais. La croissance de Québec a ensuite été assurée par l'expansion de la fonction publique dans les années 1960 et, plus récemment, par la montée de l'industrie touristique.

La présence des paquebots à Québec transforme l'ambiance et les panoramas du berceau de l'Amérique française. Fondée en 1608, Québec est la plus ancienne ville du continent au nord de Mexico.

LA DÉCOUVERTE DE LA VILLE DE QUÉBEC

Une escale à Québec, avec la visite de ses musées et de ses sites, plonge le visiteur dans l'histoire de la première ville d'Amérique du Nord, qui est maintenant quatre fois centenaire. Le plus difficile consiste à choisir entre les nombreuses attractions et activités offertes.

Comme une escale à Québec dure généralement une journée, le croisiériste avisé opte pour la visite guidée en autocar puisqu'elle permet, en quelques heures, de faire le tour du secteur historique de la ville et d'avoir un aperçu de la Haute-Ville, du parc des Champs-de-Bataille, du parlement et des grandes artères de Québec. Cette visite ne saurait être complète sans une excursion hors de la ville, vers la Côte-de-Beaupré, pour s'émerveiller devant la chute Montmorency et, surtout en automne, pour admirer les couleurs, l'architecture traditionnelle et les magnifiques panoramas de la fabuleuse île d'Orléans. L'excursion idéale comprend une visite du sanctuaire de Sainte-Anne-de-Beaupré, premier lieu de pèlerinage en Amérique du Nord ; malheureusement, le manque de temps empêche souvent les croisiéristes de s'y rendre.

Après ce survol rapide, il reste à étudier le sujet de plus près, ce qu'il est facile de faire à Québec, car, contrairement à plusieurs autres ports d'accostage, il n'y a que quelques pas qui séparent la passerelle du bateau du cœur de l'action. La proximité des lieux fait de la ville un véritable paradis pour les marcheurs, peut-être davantage en fait pour les marcheurs aguerris, compte tenu des nombreuses côtes à monter.

Il existe plusieurs circuits pédestres à Québec, mais, de façon quasi obligatoire, tout le monde débute par la Basse-Ville, un petit quartier recroquevillé sur lui-même où il est impossible de se perdre. On y trouve quelques attraits touristiques majeurs, dont le Musée de la Civilisation et la place Royale avec l'église Notre-Dame-des-Victoires. Les rues serrées regorgent d'excellents restaurants ou de petits casse-croûte charmants. Les immenses fresques historiques situées près de la côte de la Montagne et à l'autre bout de la rue du Petit-Champlain fascinent à coup sûr les visiteurs. Les galeries et boutiques savent combler les amateurs d'art et d'artisanat autochtone et québécois. La rue Saint-Paul, occupée presque exclusivement par des antiquaires, étale les plus beaux objets du passé. Le secteur préféré des visiteurs à l'affût de souvenirs demeure le Petit-Champlain, au pied de l'escalier Casse-Cou et du funiculaire, lesquels permettent tous deux d'accéder à la Haute-Ville.

LA PLACE ROYALE

À quelques mètres de l'endroit où Samuel de Champlain a érigé son Abitation en 1608 se trouve maintenant le dernier-né des musées de Québec : le Centre d'interprétation de la Place-Royale. Il occupe les vestiges de deux magnifiques bâtiments historiques, les maisons Hazeur et Smith (1637), dont on a conservé jalousement la devanture et la fondation, les deux seuls éléments ayant résisté aux assauts du feu. La visite de ce centre d'interprétation débute par un survol de l'histoire de la place Royale qui a été la plaque tournante du commerce de la fourrure et du bois dans le Nouveau Monde ainsi que des importations d'Europe, des Antilles ou d'Afrique du Nord.

Les rues étroites de la Haute-Ville regroupent plusieurs terrasses et restaurants qui font la joie des croisiéristes.

À gauche : Quelques havres de paix au cœur du Vieux-Québec permettent de rêver au passé riche et tumultueux de Québec.

LA HAUTE-VILLE

Québec se divise sommairement en haute et basse ville. La Haute-Ville occupe un promontoire de près de 100 mètres d'élévation, le cap Diamant, et surplombe le fleuve dont la largeur ne fait que 1 kilomètre jusqu'à la rive voisine et la ville de Lévis. Ce piton rocheux, position militaire stratégique, a joué un rôle déterminant dans l'histoire de Québec ; à preuve, les fortifications qui y ont été aménagées dès le début de la colonie. Québec demeure aujourd'hui la seule ville fortifiée d'Amérique au nord de Mexico.

Le secteur historique de la Haute-Ville est délimité par les fortifications que prolongent les murailles de la Citadelle de Québec. Même si certains édifices remontent au XVIIe siècle, le quartier doit son caractère pittoresque à l'urbanisme typique du XIXe siècle.

Une façon agréable de visiter à pied ce secteur consiste à parcourir le territoire circonscrit par les rues Saint-Louis et Saint-Jean et à déborder librement dans les petites rues et ruelles qui conduisent toutes vers des découvertes intéressantes. Il ne reste plus qu'à franchir ensuite les portes Saint-Louis (1878) et Saint-Jean pour se retrouver sur la colline parlementaire et sur Grande-Allée, un haut-lieu du *night life* de la ville de Québec.

Un autre circuit à l'intention des marcheurs aguerris propose de se rendre à pied jusqu'à l'extrémité de la terrasse Dufferin, qui borde le Château Frontenac, puis de gravir les escaliers menant au parc des Champs-de-Bataille, qui offre des points de vue grandioses sur la ville et le fleuve, jusqu'au pont de Québec. C'est l'occasion d'une balade vivifiante à travers la verdure des plaines d'Abraham avant de revenir dans l'enceinte de la ville fortifiée.

Avec ses 618 chambres, dont 24 suites, le Château Frontenac domine la terrasse Dufferin du haut de ses 72 mètres.

LA TERRASSE DUFFERIN

La terrasse Dufferin, immense promenade fraîchement restaurée, occupe l'emplacement de l'ancien Château Saint-Louis, la somptueuse résidence des gouverneurs de la Nouvelle-France. De récentes fouilles archéologiques ont d'ailleurs mis au jour les vestiges de cette résidence princière qui a été détruite lors du siège de la marine anglaise en 1759. La terrasse a été aménagée en 1879 par le gouverneur général du Canada, Lord Dufferin. L'architecte Charles Baillargé a conçu les kiosques et les lampadaires de fonte en s'inspirant du mobilier urbain de Paris sous Napoléon III.

À L'INTÉRIEUR DES MURS

À l'intérieur des fortifications de la Haute-Ville, le dédale de rues étroites conduit jusqu'au secteur très commercial de la rue Saint-Jean et sur la place de l'Hôtel-de-Ville.

De nombreux attraits historiques majeurs attirent l'attention des visiteurs, dont plusieurs à caractère religieux comme la très belle cathédrale Holy Trinity achevée en 1804. Il y a également la cathédrale catholique Notre-Dame-de-Québec, un splendide bâtiment meublé de joyaux artistiques qui retracent toute l'épopée des bâtisseurs de la Nouvelle-France.

L'amarrage d'un ou de plusieurs bateaux de croisière à Québec est suivi par le débarquement de nombreux croisiéristes qui profitent de l'occasion pour une visite en calèche ou autrement.

Le QUEEN ELIZABETH 2 • *Spécialement conçu pour la navigation transatlantique entre Southampton et New York, le géant des mers* Queen Elizabeth 2 *est un des derniers grands* liners *mythiques en activité. Et il reste le bateau de croisière le plus rapide au monde. Le code vestimentaire et les traditions y sont toujours strictement maintenus. Le* Queen Elizabeth 2 *ne fait plus que de la croisière à travers le monde depuis l'entrée en service du* Queen Mary 2, *en 2004.*

LE CHÂTEAU FRONTENAC

Le Château Frontenac joue un rôle important dans l'image de marque de Québec. Plus encore, il symbolise, par sa prédominance visuelle et son style architectural somptueux, le caractère européen et historique de la ville de Québec.

Son histoire remonte à 1890, alors que la compagnie ferroviaire Canadian Pacific décide d'implanter un vaste et prestigieux réseau hôtelier de part en part du Canada. Québec accueille le tout premier établissement de la chaîne, lequel porte le nom de l'un des plus réputés gouverneurs de la Nouvelle-France, Louis de Buade, comte de Frontenac.

Ce fantastique ambassadeur, ne serait-ce que par les millions de photographies sur lesquelles il figure (on dit que le Château Frontenac est l'hôtel le plus photographié du monde), a été dessiné par l'architecte américain Bruce Price (1845 – 1903) à qui l'on doit nombre de gratte-ciel américains. Son style dit «national canadien», heureux alliage de l'influence française des châteaux de la Loire et de l'influence anglaise des manoirs écossais, a ensuite inspiré tous les autres grands établissements de la chaîne.

Le Château Frontenac a accueilli plusieurs grandes personnalités internationales issues de tous les domaines d'intérêt. Il a été l'hôte, entre autres, de la Conférence de Québec de 1944 où le président américain Roosevelt, le premier ministre britannique Winston Churchill et son homologue canadien Mackenzie King ont défini la configuration de l'Europe de l'après-guerre.

Fidèle au poste dès l'arrivée d'un paquebot qui accoste aux quais du port de Québec, Donald Laraby est devenu la référence populaire ultime pour tout ce qui touche de près ou de loin aux grands bateaux de touristes. Ce Gaspésien d'origine n'est jamais parti en croisière, mais les bateaux l'ont toujours fasciné. Dans les cahiers qu'il traîne avec lui, il a résumé l'histoire de chaque navire. Il entretient une correspondance nourrie avec tous les armateurs qui échangent avec lui photos, documentation et objets souvenirs.

L'ENCHANTMENT OF THE SEAS · *L'Enchantment of the Seas a ses habitués depuis plus de 20 ans. Il convient particulièrement à une première expérience en mer à cause de sa grande convivialité, de son décor raffiné et de ses équipements de divertissement. Son atrium central ouvert sur sept ponts constitue un lieu de rencontre extrêmement prisé.*

LE PORT DE QUÉBEC

Le port de Québec est la porte d'entrée pour les navires de croisières et leurs passagers en visite dans la seule ville canadienne reconnue comme un joyau du patrimoine mondial par l'UNESCO.

En plus de ses activités de croisière, l'administration portuaire de Québec et ses partenaires se spécialisent dans la manutention et l'entreposage de vrac solide et liquide et de marchandises générales.

Le port de Québec peut recevoir plusieurs navires de croisières à la fois. Installés à La Pointe-à-Carcy, deux quais leur sont tout spécialement dédiés. Le quai 21 (206 mètres) et le quai 22 (325 mètres), doté d'une passerelle automatisée pour les passagers, sont situés en plein cœur du quartier historique de Québec.

En opération depuis juin 2002, le terminal de croisières permet aux navires de tous les gabarits d'y effectuer efficacement des escales et d'établir des itinéraires en partance ou à destination de Québec. Avec son personnel professionnel et bilingue, un terminal ultramoderne et un environnement exceptionnel, le port de Québec offre aux croisiéristes une expérience unique et sécuritaire. La ville de Québec doit sa popularité grandissante comme port d'embarquement et de débarquement à ses facilités aériennes : son aéroport dessert maintenant New York et Boston, entre autres, sur une base régulière.

Les boutiques, les ateliers, les galeries et les restaurants du quartier du Petit-Champlain y suscitent une activité constante.

L'ÎLE D'ORLÉANS
ET SES TRÉSORS

L'île d'Orléans exerce une véritable fascination sur les Québécois comme sur les visiteurs qui la découvrent. Ce joyau à portée de vue du centre-ville de Québec évoque certaines des plus grandes pages de l'histoire du Nouveau Monde et est lié par le sang aux 300 plus anciennes familles françaises implantées en terre d'Amérique. Célébrée par les poètes, muse des peintres et des photographes, refuge des artisans qui perpétuent les traditions avec amour, l'île a accédé à l'immortalité quand le plus grand de tous les chantres québécois, Félix Leclerc, a chanté sa splendeur.

Au fil des saisons, l'île d'Orléans sort de l'hiver en se sucrant le bec au sirop d'érable avant la floraison des pommiers. Elle jouit de la fraîcheur du fleuve en été et l'arrivée de ses fraises est annonciatrice de la belle saison au même titre que le vol des oies blanches. À l'automne, elle revêt un manteau de coloris flamboyants qui portent son charme au paroxysme. Les automnes de l'île d'Orléans, recherchés comme les toiles des grands maîtres, demeurent cependant accessibles à tous, gens d'ici et voyageurs de partout dans le monde.

Le chemin Royal, pourtour de 67 kilomètres, traverse les 6 paroisses de l'île et permet d'apprécier leur patrimoine architectural, religieux, historique, artistique, agricole, maritime et naturel. La côte Sud offre de magnifiques panoramas sur le fleuve et les terres agricoles de l'île, en plus de permettre l'accès au rivage à quelques endroits. Beaucoup plus escarpée, la rive Nord présente un aspect plus spectaculaire, particulièrement de la fin de septembre au début d'octobre, à cause de la vue extraordinaire qu'elle offre sur la Côte-de-Beaupré, Sainte-Anne-de-Beaupré, le mont Sainte-Anne et le cap Tourmente. Cet écran de murailles montagneuses qui fait face à l'île, avec sa diversité d'essences d'arbres aux riches coloris, constitue l'un des décors automnaux les plus exceptionnels qui soient.

Le tour de l'île est fait d'une succession d'arrêts, de sauts de puce, de randonnées pédestres agréables et de révélations étonnantes. Les quais constituent des étapes de prédilection. Dans la paroisse Saint-Laurent, la longue tradition de construction navale se perpétue à la marina grouillante d'activités, où le voyageur s'étonne de trouver sur les rives des fleurs toujours épanouies. Une promenade sur le trottoir du chemin Royal permet de voir de près les maisons et de s'arrêter dans les nombreuses boutiques d'artisanat qui offrent une foule de créations ou de produits locaux. À partir du quai de Saint-Jean, une randonnée permet de croiser de ravissantes maisons patrimoniales que le soleil d'automne rend encore plus resplendissantes. La paroisse Saint-François et sa magnifique église reconstruite en 1988 après avoir été détruite par le feu valent largement l'arrêt. À l'extrémité est de l'île, une tour d'observation offre un point de vue saisissant sur le cap Tourmente et sur le mont Sainte-Anne, sans oublier les nuées d'oies blanches qui s'assemblent sur l'estran devant le cap Tourmente.

Plus loin, il y a le secteur des pomiculteurs, dans la paroisse Sainte-Famille, où la cueillette des pommes bat son plein. McIntosh, Cortland et autres fruits de saison font ployer les arbres dans un paysage incomparable. Certains préfèrent cueillir eux-mêmes leurs pommes croquantes et juteuses en plus d'en manger jusqu'à satiété sur place.

L'île d'Orléans fascine les Québécois, mais aussi les croisiéristes qui la découvrent en longeant sa côte Sud, puis en la visitant. Les 67 kilomètres du chemin Royal traversent les 6 paroisses de l'île et permettent d'en apprécier le patrimoine exceptionnel.

LA CHUTE MONTMORENCY

D'une hauteur de 83 mètres (soit 30 mètres de plus que les chutes Niagara), la chute Montmorency est au cœur d'un site historique célébré par de nombreux peintres du XVIIIe et du XIXe siècle (dont Peachey, Bouchette, Cockburn, Todd et Krieghoff). La chute marque le point d'orgue de la rivière Montmorency, qui trouve sa source plusieurs kilomètres plus au nord pour venir se jeter dans le fleuve Saint-Laurent. Le parc de la Chute-Montmorency propose deux modes d'ascension : devant la chute, à bord d'un téléphérique ou, encore plus intéressant, par un escalier qui subit régulièrement les assauts des brumes de la trombe d'eau et qui mène à un site historique méconnu où le général anglais Wolfe soutint le siège de Québec avec ses troupes.

La chute Montmorency, terrain de jeu hivernal de la population de Québec, est un haut lieu touristique de la région. Elle a inspiré le peintre Cornelius Krieghoff (1815-1872), qui a rendu mieux que personne l'ambiance festive des dimanches en famille au « Pain de sucre », cône de glace qui se forme l'hiver au pied de la chute.

LES OIES
DE L'AUTOMNE

Il est à peine 6 h du matin et déjà les ornithologues amateurs se pressent aux abords de l'estuaire du Saint-Laurent et sur les principaux sites d'observation.

Non loin, quelques centaines de milliers de grandes oies des neiges ou de bernaches du Canada recouvrent les battures boueuses, telle une neige persistante au printemps ou prématurée à l'automne, une neige qui bouge et jacasse nerveusement. Certains grands oiseaux blancs font le guet en s'étirant le cou. À la moindre alerte, une partie du troupeau s'élève et se déplace. Le grand départ du matin se prépare. Alors que le soleil commence à se hisser à l'horizon, le commérage des oies devient une rumeur plus insistante. Puis un troisième palier de modulation annonce l'imminence du départ collectif. D'un commun accord, une nuée blanche s'élève du sol comme une poudrerie vivante. Cette masse fluide forme des vagues sublimes dans le ciel, une véritable aurore animale. Dans un vacarme indescriptible, le troupeau en migration prend son envol pour aller passer la journée dans les champs ou sur les berges, où il trouvera la nourriture qui lui permettra de continuer son odyssée vers l'Arctique. Le soir, au couchant, le troupeau revient au même endroit, formant une succession interminable de grands voiliers.

Avec environ 600 000 oies des neiges qui fréquentent ses berges chaque année, le lac Saint-Pierre constitue la halte migratoire la plus importante d'Amérique du Nord. En automne, les oies se déplacent plus à l'est, à la hauteur de cap Tourmente (à moins d'une heure de route de Québec) et de Montmagny. Les oies séjournent dans ces régions en avril et en mai après avoir franchi sans escale 900 kilomètres depuis la côte américaine. Elles reviennent en septembre et octobre, au meilleur de la saison des couleurs, après avoir passé l'été sur l'île de Bylot, au nord de la Terre de Baffin, où elles ont mué et donné naissance à leurs petits. Elles consacrent ici beaucoup de temps à se nourrir dans les champs et sur les estrans afin d'accumuler les réserves de graisse qui leur fourniront l'énergie nécessaire pour continuer leur voyage vers le Nord ou le Sud. Elles se nourrissent normalement dans les marais en enfonçant la tête dans la boue afin de creuser et d'extirper les rhizomes du scirpe d'Amérique riches en matières nutritives. Elles volent ensuite en suivant un corridor migratoire relativement bien défini, à des vitesses pouvant atteindre 100 kilomètres à l'heure. Après avoir frôlé l'extinction, la population de la grande oie des neiges approche le million d'individus, ce qui n'est pas sans créer certains problèmes de cohabitation avec les agriculteurs riverains de la vallée du Saint-Laurent.

Des centaines de milliers d'oies blanches fréquentent les rives du Saint-Laurent lors de leurs migrations printanière et automnale. En automne, des nuées d'oies s'alimentent dans le secteur du cap Tourmente, près de Québec.

GROSSE ÎLE

L'ÎLE DE LA QUARANTAINE

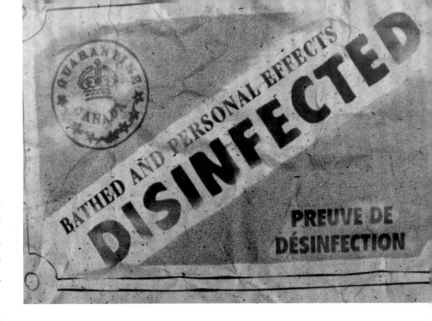

Au seuil de New York et tout près de Québec, deux îles ont connu un destin semblable, fait de tragédie et de bonheur. Ellis Island et Grosse Île, après avoir accueilli plusieurs centaines de milliers d'immigrants en quête de la Terre Promise, sont maintenant devenues des monuments dédiés à leur mémoire.

Au début du XIXᵉ siècle, les guerres, les famines et les épidémies qui déciment l'Europe provoquent des vagues d'émigration qui font craindre la transmission de maladies infectieuses dans les principaux ports d'entrée de l'Amérique du Nord. En 1830, Québec accueille 30 000 nouveaux arrivants en provenance d'Angleterre, d'Écosse et surtout d'Irlande. Québec est alors, et de loin, la principale porte d'entrée au Canada et en Amérique du Nord. À la suite de graves épidémies de choléra qui sévissent sans que la médecine de l'époque ne sache comment les endiguer, les autorités décident en 1832 d'établir sur Grosse Île, à 10 kilomètres au nord-est de l'île d'Orléans, une station de quarantaine pour le port de Québec. À la hâte, les soldats britanniques aménagent quelques baraquements qui abritent malades et bien portants à quelques mètres de distance les uns des autres. Rapidement, les autorités comprennent que les malades, les voyageurs en santé et le personnel de l'île doivent vivre séparément. La construction d'hôpitaux, d'hôtels et de villages séparés, de même que le contrôle de la circulation n'empêchent pas le typhus de frapper cruellement en 1847, au plus fort d'une vague d'émigration (100 000 personnes) provoquée par la grande famine qui sévit en Irlande. On dénombre à cette occasion 5000 décès en mer et 5424 sépultures à Grosse Île, dont une grande partie du personnel médical. Au total, 7480 immigrants ont été enterrés sur Grosse Île, dans 3 cimetières sobres mais émouvants.

Par la suite, l'arrivée de la navigation à vapeur a contribué à rendre les traversées moins longues et moins éprouvantes, sans compter que les connaissances en microbiologie ont fait des progrès énormes. Le nombre de visiteurs à la station de quarantaine s'est donc progressivement amenuisé jusqu'à sa fermeture en 1937. La station a ensuite été utilisée, jusqu'en 1957, par les armées canadienne et américaine pour la recherche sur la guerre biologique. Des expériences bactériologiques ultrasecrètes y ont été menées, imposant même l'interdiction d'utiliser le corridor aérien. Pendant 10 ans ensuite, elle servira de station de quarantaine pour les animaux importés. L'endroit est devenu un lieu historique en 1984.

Grosse Île revêt une importance particulière et profondément symbolique pour les Irlandais qui y ont érigé une croix celtique en 1909 ainsi que, plus récemment, un mémorial à la mémoire des milliers de disparus. Le tout fait maintenant partie du lieu historique national du Canada de la Grosse-Île-et-du-Mémorial-des-Irlandais.

Des croisières vers Grosse Île sont organisées à partir de la marina de Berthier-sur-Mer, à environ une heure de route de la ville de Québec.

De 1832 à 1937, tous les immigrants ont dû faire une escale sanitaire sur l'île de la Quarantaine et subir une désinfection en règle.

À gauche :
En haut : Au total, 7480 immigrants sont enterrés sur la Grosse Île, comme le rappellent les cimetières et le mémorial érigé à leur mémoire. En bas : De grands fourneaux servaient à la désinfection des vêtements.

MONTRÉAL

L'entrée à Montréal par bateau offre deux perspectives différentes selon qu'elle se fait par l'amont ou par l'aval. Quand on arrive des Grands Lacs, les gratte-ciel du centre-ville se profilent à l'horizon dès Beauharnois, à l'entrée du lac Saint-Louis, bien avant que l'on s'engage à l'intérieur des écluses de Côte-Sainte-Catherine et de Saint-Lambert, sur la voie maritime du Saint-Laurent. La ville s'approche ainsi très lentement, pendant plusieurs heures, jusqu'à ce qu'apparaissent au premier plan certaines constructions héritées de l'Exposition universelle de 1967, Expo 67, telle l'immense structure métallique ronde qui abritait le pavillon américain ou encore un édifice au style tout aussi audacieux, l'ancien pavillon français, qui accueille aujourd'hui le Casino de Montréal. Les navires glissent ensuite sous les ponts Mercier et Champlain qui nous rappellent l'insularité de Montréal. Ils contournent finalement la pointe de l'île Sainte-Hélène et le parc d'amusement La Ronde en passant à deux reprises sous le pont Jacques-Cartier, avant de se retrouver dans le secteur du Vieux-Port, au cœur de la ville historique, à l'ombre du secteur des affaires et du commerce.

Par ailleurs, l'arrivée depuis le bas du fleuve, en provenance de la ville de Québec, offre une tout autre perspective avec la traversée de la très longue zone portuaire de Montréal avant l'amarrage dans le Vieux-Port, à l'extrême ouest.

Au lever du jour, le soleil illumine le port de Montréal, le quartier du Vieux-Montréal et les édifices du centre-ville.

LE PORT DE MONTRÉAL

Fortement diversifié, le port de Montréal manutentionne des marchandises diverses conteneurisées ou non, en plus des produits céréaliers, pétroliers et autres types de vrac et solides, pour un total de quelque 24 millions de tonnes de marchandises par année. Il accueille en plus des milliers de croisiéristes annuellement.

Situé à 1600 kilomètres de l'océan, le port de Montréal s'impose comme l'un des plus importants ports intérieurs au monde. Il constitue la route la plus courte entre l'Amérique du Nord et l'Europe du Nord. Les quais du port, qui demeure ouvert toute l'année malgré les hivers rigoureux, s'étendent sur une distance de 25 kilomètres. Les équipements impressionnants qui s'y alignent confirment sa place de leader sur le marché de l'Atlantique Nord. Près de 9 millions de tonnes de marchandises diverses y transitent chaque année. Ce seul tonnage équivaut au déchargement et à la manutention de près de 1 million de conteneurs au cours des 9 principaux mois d'activités.

Le Vieux-Port est un site récréotouristique exceptionnel, fréquenté chaque année par plus de 7 millions de promeneurs et de touristes.

LES CROISIÈRES

Montréal est également devenu un point d'embarquement et de débarquement particulièrement apprécié des passagers de croisières à cause de son accessibilité par voie aérienne, routière ou ferroviaire. En plus de tous les services destinés aux navires de croisière, le terminal Iberville du port dispose de deux postes de mouillage, l'un de 361 mètres de longueur et l'autre de 372 mètres.

Le *Maasdam* de Holland America démarre très tôt, dès le mois de mai, sa saison de voyages sur le Saint-Laurent. D'une capacité d'accueil de 1300 passagers, le *Maasdam* est l'un des plus importants bateaux de passagers à accoster à Montréal, ce qu'il fait régulièrement depuis 2004. Des fontaines antiques en marbre, un atrium sur trois étages et plus d'espace que sur la plupart des bateaux de dimensions comparables attendent les croisiéristes qui effectuent le circuit Nouvelle-Angleterre – Saint-Laurent.

L'*Amsterdam*, qui peut accueillir 1380 passagers, est un peu plus imposant, avec 5500 tonnes de plus que le *Maasdam*, mais le jumeau du *Rotterdam* se présente beaucoup plus rarement dans le port de Montréal. Tous trois propriété de l'armateur Holland America, ils présentent un style d'aménagement classique et distingué avec de larges atriums qui savent plaire à une clientèle d'expérience.

Le *Nantucket Clipper*, un «yacht» confortable et accueillant, permet aux voyageurs d'explorer les voies navigables peu profondes et les coins peu visités du fleuve Saint-Laurent en compagnie de spécialistes de la nature. D'une capacité de 100 passagers, le *Nantucket Clipper* est le plus important yacht à faire escale à Montréal.

Le *Colombus* de Hapag-Loyd, un navire qui transporte 420 passagers allemands, fréquente aussi Montréal de façon de plus en plus assidue.

Le *Black Watch* de Fred Olsen Cruise Lines, un petit paquebot confortable d'une capacité de 762 passagers, vient aussi faire son tour à Montréal. Son ambiance typiquement britannique convient parfaitement aux voyageurs qui apprécient l'observation des beautés du Saint-Laurent à partir des ponts tout en privilégiant le confort d'un intérieur douillet.

Le *Saga Ruby*, pour sa part, a accosté à Montréal pour la première fois en 2005. Remis à neuf la même année au coût de 17 millions de dollars, ce bateau de 650 passagers appartient à Saga Holidays et propose des agencements de couleurs reposantes, des tissus somptueux et des télévisions à écrans plats dans ses cabines. Le bateau comporte des fenêtres sur toute la hauteur, une salle à manger intime et une ambiance raffinée.

Le luxueux *Crystal Symphony* est un autre bateau de croisière qui fait escale régulièrement à Montréal. Coté 6 étoiles, il peut recevoir jusqu'à 940 passagers dans un décor unique et somptueux.

L'*Astor*, un élégant navire de 650 passagers, s'arrête parfois sur les quais de la gare maritime Iberville. Avec son profil et son aspect modernes, il constitue un compromis idéal entre le style de croisière en vogue sur les géants des mers et les navires plus intimistes. Il accueille principalement des croisiéristes de nationalité allemande.

L'excursion dans les rapides de Lachine représente une aventure des plus excitantes.

À gauche:
En haut: La tour de l'Horloge marque l'entrée du Vieux-Port et de la gare maritime Iberville où accostent les bateaux de croisière. En bas: L'Astor entre dans le Vieux-Port de Montréal en passant sous le pont Jacques-Cartier.

L'ASTOR • *Durant les années 1980, ce très beau navire au profil moderne et équilibré a partagé le nom Astor avec son jumeau plus petit qui porte maintenant le nom d'Astoria. Construit en Allemagne pour l'armateur Astor Cruise, qui n'est plus en activité aujourd'hui, il est la propriété de Russia's Sovcomflot. Il est aménagé pour répondre aux hauts standards de la clientèle allemande.*

UNE VISITE À PIED

Les passagers qui descendent à Montréal apprécient d'avoir facilement accès au site touristique du Vieux-Port. Selon la maison d'édition Zagat, qui depuis 1979 effectue chaque année un sondage auprès de plus de 250 000 touristes dans les villes du monde les plus visitées, les quais du Vieux-Port de Montréal figurent parmi les attractions montréalaises les plus populaires. En deuxième et troisième positions, on mentionne le Jardin botanique et le mont Royal, lesquels font invariablement partie des tours de ville en autocar qui s'arrêtent devant l'oratoire Saint-Joseph et poussent parfois l'exploration jusque dans l'est de la ville, vers le Stade olympique, où se sont déroulées les Olympiades de 1976, et le Biodôme, une brillante reconstitution vivante de cinq des grands écosystèmes naturels des Amériques.

Le secteur du Vieux-Montréal, quant à lui, se prête divinement à une escale de quelques heures et à une visite à pied, le tout dans un décor et une ambiance tout à fait magnifiques. Les différentes places publiques de ce secteur constituent autant de points de rencontre et de départs incontournables. La place d'Armes, devant la basilique Notre-Dame, attire une grande part de la faune touristique en tant que lieu de départ de plusieurs visites guidées en bus, en calèche ou à pied. Il y a donc beaucoup d'action autour de la statue de Paul de Maisonneuve, cofondateur de Ville-Marie avec Jeanne Mance. En 1642, il y fit venir le premier groupe de colons français pour s'installer à la limite de la navigation sur le Saint-Laurent, au pied des rapides de Lachine. À partir du parvis de la basilique, une visite guidée à pied permet de découvrir le Vieux-Montréal et la rue Saint-Jacques, la Wall Street de Montréal. La visite débute par l'intérieur de la vaste basilique Notre-Dame de Montréal, un joyau de l'architecture néogothique dessiné et construit entre 1824 et 1829 par James O'Donnell, un Américain protestant d'origine irlandaise converti au catholicisme. L'architecte est d'ailleurs inhumé dans «son» église. Contrairement aux grandes églises de pierre, Notre-Dame dégage une chaleur et une densité étonnantes qui sont sans doute attribuables à la présence imposante du bois sculpté,

aux vitraux qui allument les dorures et aux couleurs douces du plafond. Il s'agit d'un lieu de culte différent de tout ce qu'on peut voir ailleurs, d'autant plus que son décor évoque l'histoire de la société montréalaise. Située à l'arrière du maître-autel, la chapelle Notre-Dame-du-Sacré-Cœur étonne par le modernisme de son décor gothique fleuri créé à la suite de l'incendie de la chapelle originale en 1978. Elle accueille plusieurs cérémonies de mariage qui ne peuvent se tenir dans l'enceinte principale comme celui de Céline Dion, à cause d'une très longue liste d'attente.

La place Jacques-Cartier et une de ses terrasses intérieures.

À gauche :
En haut : Il émane du Vieux-Montréal une ambiance unique, avec son atmosphère européenne et son architecture américaine des années 1930, qui plaît aux producteurs de cinéma. En bas : La plus ancienne rue de Montréal, la rue Saint-Paul, et ses magasins-entrepôts dont l'arrière donne sur la rue de la Commune.

LES RUES SAINT-JACQUES ET NOTRE-DAME

La rue Saint-Jacques fascine par l'histoire dont elle témoigne et par l'architecture captivante de ses édifices. Témoin d'une époque révolue, où Montréal s'affichait comme la métropole du Canada et l'un des centres économiques les plus prospères en Amérique du Nord, cette rue étroite assombrie par les premiers hauts buildings de la ville garde de nombreuses traces de sa gloire d'autrefois. Les façades regorgent de détails somptueux et de frises superbes, qui vont des styles en vogue au XIXᵉ siècle jusqu'à l'Art déco. La banque de la famille Molson, de style Second Empire écrasant, illustre le rôle déterminant de cette famille dans l'histoire du Québec et du Canada. N'a-t-elle pas, en effet, imprimé sa propre monnaie, ouvert sa banque en 1866, possédé la première compagnie maritime et brassé de très grosses affaires en plus de la bière ? C'est d'ailleurs John Molson qui a fait construire les premiers bateaux à vapeur en Amérique et développé le transport maritime sur le Saint-Laurent et le Saguenay.

Saint-Jacques, c'est avant tout la rue des banques. L'édifice de la Banque de Montréal, la toute première banque au Canada (créée en 1817), côtoie les sièges sociaux anciens ou actuels de plusieurs autres institutions bancaires.

L'atrium du Centre de commerce mondial mérite aussi une visite, ne serait-ce que parce qu'il a su intégrer magnifiquement la ruelle des Fortifications et les bâtiments qui se trouvaient auparavant à ciel ouvert, composant un petit monde d'affaires et de commerce à la fois clos et ouvert.

Le Vieux-Montréal, particulièrement aux abords de la rue Notre-Dame, est parsemé de grands édifices victoriens construits dans la seconde moitié du XIXᵉ siècle. À l'époque, c'était des magasins-entrepôts et des fabriques, dont le rez-de-chaussée, avec ses larges vitrines, servait de salle de montre. Aux étages supérieurs, il y avait les bureaux et les aires de finition et d'entreposage.

LA PLACE D'YOUVILLE

Un peu plus à l'ouest se trouve la place d'Youville. Bien tranquille après un passé mouvementé, la place est occupée à ses extrémités par deux institutions historiques incontournables. Entre autres, le Centre d'histoire de Montréal, avec ses trois étages récemment aménagés dans une élégante caserne de pompiers datant de 1903, propose un intéressant survol en cinq temps de l'histoire de la ville.

Plus loin, le musée de Pointe-à-Callière et la place Royale occupent le site de fondation de Montréal et l'endroit où eut lieu la signature avec les nations autochtones de la Paix de Montréal en 1701. L'ancien lit de la rivière Saint-Pierre, aujourd'hui canalisée, recèle les vestiges de 2000 ans d'occupation humaine ; le musée d'archéologie et d'histoire de Montréal, Pointe-à-Callière, présente de façon exceptionnelle ces traces du passé. De plus, il enrichit sa programmation avec des expositions thématiques plus captivantes les unes que les autres.

Au bout du quai, la promenade du Vieux-Port accueille badauds, patineurs et cyclistes à deux ou quatre roues. En face, les gratte-ciel du centre-ville font partiellement écran au mont Royal. Derrière, le Casino de Montréal se profile sur l'île Notre-Dame, mais c'est surtout l'architecture singulière de l'ensemble résidentiel Habitat 67 qui suscite la curiosité.

La rue Saint-Jacques fourmille de détails architecturaux fascinants, comme ce bas-relief sur lequel figure la devise de la monarchie britannique au temps d'Henri V : Dieu et mon droit.

À gauche : De nombreux attraits historiques, religieux et architecturaux se retrouvent aux abords de la place d'Armes, point de départ des visites guidées.

L'INTERNATIONAL FLORA

À l'ouest du bassin Alexandra, croisiéristes, vacanciers et citadins se rencontrent sur le site de l'International Flora, qui présente une sélection diversifiée et éblouissante de jardins. Nul besoin d'être mordu d'horticulture pour apprécier cet événement. L'amateur averti, lui, ne pourra qu'admirer et apprécier l'imagination, la créativité et l'audace dont ont fait preuve les concepteurs invités par l'International Flora. Chacun de ces créateurs émérites venus du Québec et d'ailleurs dans le monde y est allé de son aménagement le plus beau, le plus extravagant, le plus audacieux, le plus dérangeant ou le plus harmonieux. Le site est aussi l'endroit pour découvrir toutes les nouveautés des centres de jardinage du monde. Les dizaines d'espaces joliment aménagés constituent le plus réaliste et le plus extraordinaire des catalogues d'horticulture et d'aménagement de jardin qui soient. Certains tableaux surprennent, déstabilisent et vont jusqu'à choquer comme sait le faire l'art contemporain. La plupart des jardins demeurent toutefois à hauteur humaine et peuvent inspirer les amateurs d'horticulture et de jardinage, tant ceux qui ont quelques pots de fleurs sur leur balcon que les passionnés qui consacrent tout leur temps au jardinage et à l'aménagement paysager.

Une visite à Flora permet également de voir de près la première écluse du canal de Lachine, laquelle a été totalement restaurée sur toute sa longueur. D'ailleurs, une des plus agréables activités à pratiquer à Montréal consiste à longer le canal de Lachine à vélo sur la magnifique piste cyclable qui épouse son cours.

L'International Flora présente une collection remarquable de jardins, des plus audacieux aux plus traditionnels.

À gauche : La rue de la Commune, face au Vieux-Port, a vu se transformer les installations portuaires de Montréal depuis sa fondation. De nos jours, elle est envahie par les touristes.

Pages 182-183 : Les Montréalais ont magnifiquement récupéré les espaces du canal Lachine pour en faire un parc exceptionnel, propice à de nombreuses activités. Le point de départ de ce canal se trouve dans le Vieux-Port de Montréal.

LA RUE DE LA COMMUNE

La visite se poursuit et se termine par la rue de la Commune en face du Vieux-Port. La rue Saint-Paul, beaucoup plus animée avec ses nombreux restaurants, bars et boutiques, est un autre itinéraire intéressant. Les deux artères débouchent sur la place Jacques-Cartier, un rond-point incontournable pour les touristes, avec une superbe boutique d'art inuit et un agréable musée d'histoire, celui du Château Ramezay. L'hôtel de ville de Montréal mérite aussi une visite… À quelques pas de là, il y a la chapelle Notre-Dame-de-Bon-Secours et son intéressant petit musée ; son clocher offre une vue magnifique sur le secteur du Vieux-Port. La vue est tout aussi impressionnante à partir de la tour de l'Horloge située au bout du bassin du même nom et de la nouvelle marina. Il faut cependant un minimum de courage pour affronter l'escalier en serpentin qui mène au sommet.

La visite se termine par le marché Bonsecours, qui semble jouer le rôle d'un phare à l'entrée du Vieux-Port avec sa coupole argent qui brille sous le soleil. Après avoir été durant plus d'un siècle le rendez-vous des Montréalais en tant que marché public ou salle de concert, cet édifice imposant abrite maintenant des boutiques qui proposent les créations d'artistes et d'artisans du Québec.

BIBLIOGRAPHIE

BUIES, Arthur. *Le Saguenay et la vallée du lac Saint-Jean*, Imprimerie A. Côté et cie, Québec, 1880, p. 81 et 82.

COLLARD, Edgar Andrew. *Passage to the sea : The Story of Canada Steamship Lines*, Doubleday Canada Limited, Toronto, 1991, p. 26.

DESJARDINS MARKETING STRATÉGIQUE. *Croisière Transboréale*, Étude de marché, Vanier, octobre 2002, p. 15 à 23.

FOX, Robert. *Liners : l'âge d'or des paquebots*, Hong Kong, Köneman, 1999.

FRANK, Alain. *La navigation sur le fleuve Saint-Laurent*, Histoire Québec, Fédération des sociétés d'histoire du Québec, vol. 6, n° 2, Montréal, 2005.

GAGNÉ, Jean. *À la découverte du Saint-Laurent*, Les Éditions de l'Homme, Montréal 2005, p. 14 à 45, 147 à 152.

GAGNON-PRATTE, France, et Éric ETTER. *Le Château Frontenac*, Éditions Continuité, Québec, 1993, 102 pages.

GIRARD, Camil, et Normand PERRON. *Histoire du Saguenay – Lac-Saint-Jean*, Institut québécois de recherche sur la culture, Québec, 1979, 668 pages.

GUIDE DE VOYAGE ULYSSE. *Le Québec : bref historique*, Éditions Ulysse, Montréal, 1998, p. 13 à 22.

HALLEY, Patrice. *Les sentinelles du Saint-Laurent*, Les Éditions de l'Homme, Montréal, 2002, p. 16 et 19.

HAMEL, Jean-François, et Annie MERCIER. *Le Saint-Laurent : beautés sauvages du grand fleuve*, Les Éditions de l'Homme, Montréal, 2000, p. 12 à 23.

LE PROGRÈS DU GOLFE. « Le désastre de l'Empress of Ireland », Rimouski, 5 juin 1914, Collection du Site historique maritime de la Pointe-au-Père.

LA PRESSE. « Les quais du Vieux-Port de Montréal appréciés des touristes », Montréal, 19 juillet 2006.

LAFRENIÈRE, Normand. *Gardien de phare dans le Saint-Laurent, un métier disparu*, Dundurn Press, Toronto & Oxford, 1996, 110 pages.

LEMOINE, James McPherson. *Album du touriste*, Sillery, 1872, 382 pages.

LECLERC, Jean. *La Corporation des pilotes du Saint-Laurent*, site Internet : www.pilotes.qc.ca

LESSARD, Michel, et Gaston CADRIN. *Les sentiers de la villégiature*, Cap-aux-Diamants, n° 33, printemps 1993, p. 10.

LESSARD, Michel. *La vogue des bateaux blancs*, Cap-aux-Diamants, n° 33, printemps 1993.

NORMANDIN, Pierre-André. « Le jour des géants », *Le Soleil*, Québec, 2 octobre 2005.

PÊCHE ET OCÉANS CANADA. *Les Services de communications et de trafic maritime*, gouvernement du Canada, brochure, Québec.

PELCHAT, Pierre. « Vancouver et Victoria dominent le marché canadien », Cyberpresse.ca, Montréal, 2 novembre 2004.

PORT DE MONTRÉAL. *PortInfo*, vol. 27, n° 3, décembre 2005, p. 22.

PORT DE MONTRÉAL. *Guide 2006-2007 : tour d'horizon*, Publications Anchor-Harper inc., Montréal, 80 pages.

SITE HISTORIQUE MARITIME DE LA POINTE-AU-PÈRE. *Deux vapeurs tout neufs*, Rimouski, site Internet : www.shmp.qc.ca

TARD, Louis-Martin. « Des paquebots nommés plaisir », *Le Devoir*, Montréal, 2 novembre 1991, p. 9.

TITLEY, Luc. *Les croisières sur le Saint-Laurent... un peu d'histoire*, Téoros, vol. 14, n° 2, 1995, p. 12 à 14.

TOURISME QUÉBEC. *Croisières-excursions sur le Saint-Laurent : inventaire*, mai 1994, p. 4.

VILLENEUVE, Claude, et Frédéric BACK. *Le fleuve aux grandes eaux*, Québec Amérique, Montréal, 1995, p. 1 et 2.

CRÉDITS ICONOGRAPHIQUES

Malgré de nombreuses tentatives, nous ne sommes pas parvenus à joindre tous les ayants droit des documents reproduits. Les personnes possédant des renseignements supplémentaires à ce sujet sont priées de communiquer avec Les Éditions de l'Homme à l'adresse électronique suivante : edhomme@groupehomme.com.

La presque totalité des photos reproduites dans ce livre ont été prises par Alain Dumas, sauf les suivantes :

Pages 18-19 : *R. M. S. Alsatian* leaving Québec, July 30-14. © Archives du Port de Québec.

Page 20 : Soldats et canons au-dessus du fleuve surveillent de nombreux voiliers qui encadrent un bateau à vapeur. © Archives du Port de Québec.

Page 21 : Timbre du *Royal William*. © Collection privée.

Page 22 : *Passagers en 2ième classe sur le pont promenade inférieur, navire Empress of Ireland.* © Site historique maritime de la Pointe-au-Père.

Page 23 : Objets promotionnels de la Cunard Line. © Courtoisie du Musée maritime du Québec.

Page 24H : © Photograph courtesy Peabody Essex Museum, Salem, MA.

Page 24B : Affiche *Cunard White Star*. © Collection privée.

Page 25H : Timbre du *R. M. S. Queen Elizabteh 2*. © Courtoisie du Musée maritime du Québec.

Page 25c : Affiche *R. M. S. Titanic*. © Collection privée.

Page 25B : Affiche Hamburg Amerika Linie. © Collection privée.

Page 26 : Carte postale de *l'Empress of Ireland*. © Collection privée.

Page 27 : Objets de l'épave de *l'Empress of Ireland*. © Courtoisie du Musée maritime du Québec.

Page 28 : *Salle de musique des passagers en première classe, navire Empress of Ireland.* © Photograph courtesy Peabody Essex Museum, Salem, MA.

Page 29H : *Fumoir des passagers en 1ière classe, navire Empress of Ireland.* © Photograph courtesy Peabody Essex Museum, Salem, MA.

Page 29c : *Coin banquette bâbord de la salle à manger des passagers en 1ière classe, navire Empress of Ireland.* © Photograph courtesy Peabody Essex Museum, Salem, MA.

Page 29B : *Passagers en 1ière classe jouant sur le pont promenade inférieur, navire Empress of Ireland.* © Photograph courtesy Peabody Essex Museum, Salem, MA.

Pages 30-31 : © Courtoisie du Musée maritime du Québec.

Page 32 : Couverture du livre *The children's book of the Saguenay*. © Collection André Girard.

Page 33 : Page 4 du livre *The children's book of the Saguenay*. © Collection André Girard.

Page 34 : © Collection André Girard.

Page 35H : Bateau, 1920-1965. Photographe : George A. Driscoll. Image : P630, D141150, P3. © Bibliothèque et archives nationales du Québec.

Page 35B : Affiche Canada Steamship Lines. © Courtoisie du Musée maritime du Québec.

Page 36 : Le paquebot *France* devant Québec, non daté. Photographe : Photo Moderne Enrg. Image : Ph1987-0769. © Musée de la civilisation, fonds d'archives du Séminaire de Québec.

Page 37 : Menu table d'hôte. © Courtoisie du Musée maritime du Québec.

Page 38H : The Longest Gangplank in the World/French Line/Steam *De Grease*, février 1933. Image : Ph2000-10768. © Musée de la civilisation, fonds d'archives du Séminaire de Québec.

Page 38c : The Longest Gangplank in the World/French Line/Steam *De Grease*, février 1933. Image : Ph2000-10769. © Musée de la civilisation, fonds d'archives du Séminaire de Québec.

Page 39 : © Photo courtesy of Norwegian Cruise Line.

Pages 41, 43 : © Photo courtesy of Norwegian Cruise Line.

Pages 166 : *The Ice Cone at the Falls of Montmorency near Québec*. Artiste peintre : Cornelius Krieghoff. Image : M8033. © Musée McCord.

REMERCIEMENTS

PORT DE QUÉBEC : Ross Gaudreault, Martine Bélanger, Patrick Robitaille, Laurence Blais, Kathleen Paré • PROMOTION SAGUENAY : Claude Bouchard, Ghyslain Bouchard, Priscilla Nemey, Bernadette Bouchard, Mano Capano • TOURISME MONTRÉAL : Marie-Josée Pinsonnault • ALLARD & HERVIEU COMMUNICATION, Montréal : Marie-Françoise Hervieu • GROUPE CTMA : Nadine Blaquière • CROISIÈRES LACHANCE, Berthier-sur-Mer : François Lachance et la famille • CROISIÈRES COUDRIER, Québec : Kathleen Bélanger • CROISIÈRES MARJOLAINE, Saguenay : Bertrand Picard • COMPLEXE HÔTELIER PELCHAT (croisières aux baleines), Les Escoumins : Mario Pelchat • LES ÉCUMEURS DU SAINT-LAURENT (croisières aux baleines), Les Escoumins • SAUTE-MOUTONS JET BOATING, Montréal • CORPORATION DES PILOTES DU BAS-SAINT-LAURENT : Jean-Yves Truchon, les pilotes, capitaines et assistants • LES SERVICES DE COMMUNICATIONS ET DE TRAFIC MARITIME, Les Escoumins • CAMPING MER ET MONDE, Les Escoumins • MUSÉE MARITIME DU QUÉBEC (Musée maritime Bernier), L'Islet-sur-Mer : Diane Lemieux • SITE HISTORIQUE DE POINTE-AU-PÈRE/MUSÉE DE LA MER DE POINTE-AU-PÈRE, Rimouski : Yves Tremblay, Annemarie Bourassa • TOURISME CHAUDIÈRE-APPALACHES : Annie Thibodeau • TOURISME MANICOUAGAN : Dave Prévérault, Madeline Lechasseur • MER ET MONDE, CAMPING ET KAYAK DE MER : Pierre et Christine Hersberger • OFFICE DU TOURISME DE QUÉBEC : Sylvie Walter • TOURISME SAGUENAY – LAC-SAINT-JEAN : Maxime Saint-Laurent • LIEU HISTORIQUE NATIONAL DU CANADA DE LA GROSSE-ÎLE-ET-LE-MÉMORIAL-DES-IRLANDAIS : Jo-Anick Proulx • PARC MARIN DU SAGUENAY – SAINT-LAURENT, Tadoussac • PARC NATIONAL DU SAGUENAY, Rivière-Éternité : Luc Bouchard • André Désiront, *La Presse* • Gérald Grenier, Ville La Baie • Donald Laraby, Québec.

Un merci très particulier à nos conjointes, Joanne et Joane, qui nous pardonnent nos nombreuses absences et nous réservent d'heureux retours. Merci à toute la merveilleuse équipe des Éditions de l'Homme qui nous fait le privilège de sa confiance et dont nous apprécions la complicité.

TABLE DES MATIÈRES

PRÉFACE   11

TOURISME ET CROISIÈRE   13
Du voyage au plaisir   17
   Le temps des exploits   20
   Le Royal William   21
   La Cunard   23
   Le Ruban bleu   24
   *Le désastre de l'*Empress of Ireland   26
   L'époque des bateaux blancs   30
   La Canada Steamship Lines   35
   La croisière moderne   36
      La vie sur un palais flottant   38
      Le personnel   40
   Gérald Grenier   46

LES CROISIÈRES SUR LE SAINT-LAURENT   49
Au long du grand fleuve   54
   Le Québec   59
   Sur le Saint-Laurent   61
   Le chemin d'eau   62
   Les marées   67
   Une navigation difficile   69
   Les feux du Saint-Laurent   70
      Le haut-fond Prince   71
      La Toupie   71
      L'île Rouge   73
   Dans l'estuaire   75
   Les pilotes du Saint-Laurent   76
   Les services de communication
     et de trafic maritime   77

LES GRANDS ATTRAITS
DU SAINT-LAURENT 79

L'air d'automne 84

  Les îles de la Madeleine 89

  La Gaspésie : Le parc national
    de l'Île-Bonaventure-et-du-Rocher-Percé 94

  Le Bas-Saint-Laurent : Le Bic 97

  La Côte-Nord 99

  L'île d'Anticosti 101

  La Réserve de parc national du Canada
    de l'Archipel-de-Mingan 105

  Le Centre boréal du Saint-Laurent :
    L'aventure glaciaire 107

  Charlevoix : L'île aux Coudres 111

  Les croisières-excursions 115

    Croisière Marjolaine 115

    La famille Lachance 117

    Croisières Coudrier 117

    Une excursion à émotions fortes :
      Saute-Moutons 117

L'air géants de l'estuaire 121

  Les bélugas 123

  L'observation des baleines 124

  En kayak de mer 127

LE FJORD DU SAGUENAY 129

Le chemin qui marche 132

  La navigation, la communication
    et le transport 134

  Une vie foisonnante 143

  La Vierge du cap Trinité 146

  Une nature fabuleuse 147

  Le royaume du Saguenay 149

BIBLIOGRAPHIE   184
CRÉDITS ICONOGRAPHIQUES   185
REMERCIEMENTS   187

EN ESCALE   151

Québec   152

  L'histoire   155

  La découverte de la ville de Québec   157

    La place Royale   157

    La Haute-Ville   159

    La terrasse Dufferin   160

    À l'intérieur des murs   160

    Le Château Frontenac   161

    Le port de Québec   161

L'île d'Orléans et ses trésors   165

La chute Montmorency   166

Les oies de l'automne   167

Grosse Île : l'île de la quarantaine   169

Montréal   170

  Le port de Montréal   173

    Les croisières   175

  Une visite à pied   177

    Les rues Saint-Jacques et Notre-Dame   179

    La place d'Youville   179

    L'international Flora   181

    La rue de la Commune   181

Achevé d'imprimé au Canada
sur les presses de Quebecor World Saint-Jean

500 THINGS
you should know about
ANIMALS

Jinny Johnson

Ann Kay

Steve Parker

Consultants: Dr. Jim Flegg

Steve Parker

Miles Kelly

PUBLISHING

This edition produced for Books are Fun
First published in 2001 by
Miles Kelly Publishing Ltd
Bardfield Centre, Great Bardfield, Essex, CM7 4SL

2 4 6 8 10 9 7 5 3 1

Editorial Director: Paula Borton
Art Director: Clare Sleven
Project Editor, Copy Editor: Neil de Cort
Editorial Assistant: Nicola Sail
Designer: Sally Lace and Angela Ashton
Artwork Commissioning: Lesley Cartlidge
Picture Research: Liberty Newton
Proof Reading, Indexing: Jane Parker and Janet De Saulles
Americanization: Sean Connolly

ISBN 1-84236-051-5
Printed in China

ACKNOWLEDGMENTS

The Publishers would like to thank the following artists who have contributed to this book:

Susanna Addario/ Scientific Illust.   Roger Kent
Julian Baker Illustrations   Aziz Khan
Andy Beckett/ Illustrations Limited   Stuart Lafford
Peter Bull Art Studio   Kevin Maddison
Dave Burroughs/ Linda Rogers   Alan Male/ Linden Artists
Jim Channel/ Bernard Thornton Artists   Janos Marffy
Chris Daunt/ Illustration Limited   Doreen McGuiness/ Illustrations Limited
Flammetta Dogi/ Scientific Illust.   Colin Newman/ Bernard Thornton Artists
Wayne Ford   Terry Riley
Chris Forsey   Eric Robson/ Illustrations Limited
Mike Foster/ Maltings Partnership   Martin Sanders
Terry Gabbey/ AFA   Mike Saunders
L. R Galante/ Studio Galante   Rob Sheffield
Studio Galante   Sarah Smith/ Linden Artists
Roger Gorringe   Rudi Vizi
Alan Hancocks   Christian Webb/ Temple Rogers
Alan Harris   Steve Weston/ Linden Artists
Emma Louise Jones   Mike White/ Temple Rogers

Cartoons by Mark Davis at Mackerel

www.mileskelly.net
info@mileskelly.net

Contents

World of the dinosaurs 8

Age of the dinosaurs 10

Before the dinosaurs 12

Dinosaurs arrive 14

Getting bigger! 16

What teeth tell us 18

Super-size dinosaurs 20

Claws for killing 22

Deadly meat eaters 24

Look! Listen! Sniff! 26

Living with dinosaurs 28

Fastest and slowest 30

Dinosaur tanks 32

Dinosaur eggs and nests 34

Dinosaur babies 36

The end for the dinosaurs 38

After the dinosaurs 40

Myths and mistakes 42

How do we know? 44

Digging up dinosaurs 46

Finding new dinosaurs 48

Reptiles and Amphibians 50

Scales and slime 52

Sun worshipers 54

Cooler customers 56

Water babies 58

Landlubbers 60

Little and large 62

Adaptable animals 64
Natural show-offs 66
Sensitive creatures 68
Expert hunters 70
Fliers and leapers 72
Slitherers and crawlers 74
Fast and slow 76
Champion swimmers 78
Nature's tanks 80
Dangerous enemies 82
Clever mimics 84
Escape artists 86
Close relatives 88
Scary monsters 90
Insects or spiders? 92
Insects everywhere! 94
How insects grow 96
Air aces 98
Champion leapers 100
Super sprinters 102

Stunning swimmers 104
Brilliant burrowers 106
Bloodthirsty bugs 108
Veggie bugs 110
Unwelcome guests 112
Towns for termites 114
Where am I? 116
Great pretenders 118
Stay or go? 120
Noisy neighbors 122
Meet the family! 124
Silky spiders 126
Inventive arachnids 128
A sting in the tail 130
Friends and foes 132
What are mammals? 134
The mammal world 136
Big and small 138
Fast movers 140
Swimmers and divers 142

Fliers and gliders 144

Life in snow and ice 146

Creatures of the night 148

Busy builders 150

Family life 152

Desert dwellers 154

On the prowl 156

Fighting back 158

Deep in the jungle 160

Strange foods 162

Tool users 164

City creatures 166

Freshwater mammals 168

Plant eaters 170

Digging deep 172

Mothers and babies 174

What are birds? 176

The bird world 178

Big and small 180

Fast movers 182

Superb swimmers 184

Looking good! 186

Night birds 188

Home sweet home 190

Great travelers 192

Desert dwellers 194

Staying safe 196

Safe and sound 198

Deadly hunters 200

Caring for the young 202

Deep in the jungle 204

The biggest birds 206

Fooling around in the river 208

Can I have some more? 210

Life in snow and ice 212

Special beaks 214

Birds and people 216

Let's have some fun! 218

Index 220-224

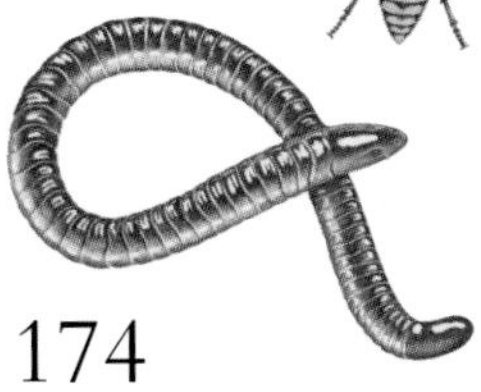

World of the dinosaurs

1 Dinosaurs were types of animals with scaly skin, called reptiles. They lived millions of years ago. There were many different kinds of dinosaurs—huge and tiny, tall and short, fierce hunters and peaceful plant eaters. But all the dinosaurs died out long, long ago.

Age of the dinosaurs

2 Dinosaurs lived between about 230 million and 65 million years ago. This vast length of time is called the Mesozoic Era. Dinosaurs were around for about 80 times longer than people have been on Earth!

This timeline begins 286 million years ago at the start of the Permian Period, when the ancestors of the dinosaurs appear. It finishes at the end of the Tertiary Period 2 million years ago, when the dinosaurs die out and mammals became dominant.

3 Dinosaurs were not the only animals during the Mesozoic Era. There were many other kinds of such as insects, fish, scurrying lizards, crocodiles, feathered birds, and furry mammals.

4 There were many different shapes and sizes of dinosaurs. Some were smaller than your hand. Others were bigger than a house!

Jobaria and Janenscia, giant plant eaters.

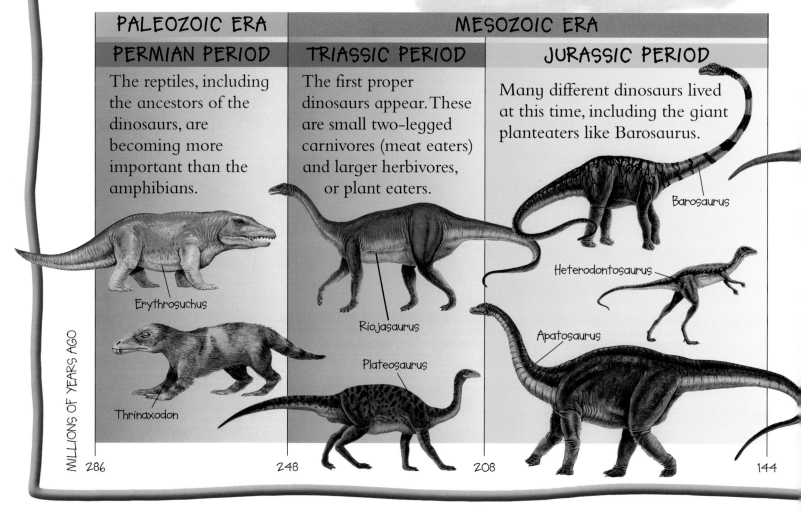

PALEOZOIC ERA	MESOZOIC ERA	
PERMIAN PERIOD	TRIASSIC PERIOD	JURASSIC PERIOD
The reptiles, including the ancestors of the dinosaurs, are becoming more important than the amphibians.	The first proper dinosaurs appear. These are small two-legged carnivores (meat eaters) and larger herbivores, or plant eaters.	Many different dinosaurs lived at this time, including the giant planteaters like Barosaurus.

Barosaurus

Heterodontosaurus

Erythrosuchus

Apatosaurus

Riojasaurus

Thrinaxodon

Plateosaurus

MILLIONS OF YEARS AGO

286   248   208   144

5 No single kind of dinosaur survived for all of the Mesozoic Era. Different kinds came and went. Some lasted for less than a million years. Other kinds, like Stegosaurus, kept going for more than 20 million years.

6 There were no people during the Age of Dinosaurs. There was a gap of more than 60 million years between the last dinosaurs and the first people.

I DON'T BELIEVE IT!

The name "dinosaur" means "terrible lizard." But dinosaurs weren't lizards, and not all dinosaurs were terrible. Small plant-eating dinosaurs were about as "terrible" as today's sheep!

◀ All the dinosaurs died out at the end of the Cretaceous Period, possibly because of a meteor strike, but no one can be sure.

MESOZOIC ERA
CRETACEOUS PERIOD

During the last part of the age of the dinosaurs, both giant carnivores and armored herbivores were alive.

Tyrannosaurus rex

Deinonychus

Spinosaurus

Tarbosaurus

CENOZOIC ERA
TERTIARY PERIOD

The dinosaurs have all died out. The mammals, which have been around since the Triassic Period, become the main land animals.

Brontotherium, herbivorous mammal

Thylacosmilus, carnivorous mammal

Nesodon, herbivorous mammal

144

65

2

MILLIONS OF YEARS AGO

Before the dinosaurs

7 Dinosaurs were not the first animals on Earth. Many other kinds of creatures lived before them, including many other types of reptiles. Over millions of years one of these groups of reptiles probably changed very slowly, or evolved, into the first dinosaurs.

9 Some crocodiles look like dinosaurs, but they weren't. Crocodiles were around even before the first dinosaurs. They still survive today, long after the last dinosaurs. Erythrosuchus was 15ft (4.5m) long, lived 240 million years ago, lurked in swamps, and ate fish.

8 Dimetrodon was a fierce, meat–eating reptile that looked like a dinosaur, but it wasn't. It lived 270 million years ago, well before the dinosaurs began. Dimetrodon was 10ft (3m) long and had a tall flap of skin like a sail on its back.

10 Therapsids lived before the dinosaurs and also alongside the early dinosaurs. They were also called mammal-like reptiles because they didn't have scaly skin like most reptiles. They had furry or hairy skin like mammals.

Ornithosuchus was one of the early thecodonts. It was a carnivore that walked on two legs, a cousin of the first dinosaurs. The name "thecodont" means "socket-toothed reptile."

QUIZ

1. Did Dimetrodon live before or after the dinosaurs?

2. Did thecodonts catch small animals to eat or munch on leaves and fruits?

3. What are therapsids also known as?

4. Did dinosaurs gradually change, or evolve into crocodiles?

5. Did all reptiles have scaly skin?

1. Before 2. Small animals 3. Mammal-like reptiles 4. No, crocodiles are separate. 5. No, some were furry

11 Thecodonts were slim, long-legged reptiles which lived just before the dinosaurs. They could rear up and run fast on their back legs. They could also leap and jump well. They probably caught small animals such as bugs and lizards to eat.

12 Of all the creatures shown here, the thecodonts were most similar to the first dinosaurs. So perhaps some thecodonts gradually changed, or evolved, into early dinosaurs. This may have happened more than 220 million years ago. But no one is sure, and there are many other ideas about where the dinosaurs came from.

The dinosaurs arrive!

13 The earliest dinosaurs stalked the Earth almost 230 million years ago. They lived in what is now Argentina, in South America. They included Eoraptor and Herrarasaurus. Both were slim and fast creatures. They could stand almost upright and run on their two rear legs. Few other animals of the time could run upright like this, on legs that were straight below their bodies. Most other animals had legs that stuck out sideways and then bent down, and walked with a slow waddle.

Herrarasaurus was about 10ft (3m) long from nose to tail.

The legs were underneath the body, not sticking out to the sides as in other reptiles such as lizards and crocodiles.

14

These early dinosaurs were probably meat eaters. They hunted small animals such as lizards and other reptiles, insects, and worms. They had lightweight bodies and long, strong legs to chase after prey. Their claws were long and sharp for grabbing victims. Their large mouths were filled with pointed teeth to tear up their food.

Herrarasaurus had a long, pointed head and a long, bendy neck to look around and sniff for prey.

TWO LEGS GOOD!

You will need:

some stiff cardboard   tape
safe scissors   split pins

Cut out a model of Herrarasaurus; the head, body, arms, and tail are one piece of cardboard. Next, cut out each leg from another piece. Fix the legs on either side of the hip area of the body using a split pin. Adjust the angle of the head, body and tail to stand over the legs. This is how many dinosaurs stood and ran, well balanced over their rear legs and using little effort.

The long tail balanced the head and body over the rear legs.

Herrarasaurus could run rapidly on its two rear legs, or walk slowly on all fours.

Getting bigger!

15 As the early dinosaurs spread over the land they began to change. This gradual and natural change in living things has happened since life began on Earth. New kinds of plants and animals appear, do well for a time, and then die out as yet more new kinds appear. The slow and gradual change of living things over time is called evolution.

▼ Plateosaurus

16 Some kinds of dinosaurs became larger and began to eat plants rather than animals. Plateosaurus was one of the first big plant-eating dinosaurs. It grew up to 27ft (8m) long and lived 220 million years ago in what is now Europe. It could rear up on its back legs and use its long neck to reach food high off the ground.

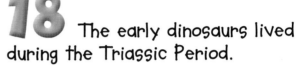
▼ Riojasaurus

17 Riojasaurus was an even larger plant eater. It lived 218 million years ago in what is now Argentina. Riojasaurus was 33ft (10m) long and weighed about one ton—as much as a large family car of today.

▼ Rutiodon, a crocodile-like meat eater, waits for Riojasaurus. It may be thinking about dinner!

18 The early dinosaurs lived during the Triassic Period. This was the first period or part of the Age of Dinosaurs (the Mesozoic Era). The Triassic Period lasted from 248 to 208 million years ago.

19 The early plant-eating dinosaurs may have become larger so that they could reach up into trees for food. Their size would also have helped them fight enemies, as many big meat-eating reptiles were ready to make a meal of them. One was the crocodile Rutiodon, which was 10ft (3m) long.

I DON'T BELIEVE IT!

Early plant-eating dinosaurs did not eat fruits or grasses, as they hadn't appeared yet! Instead they ate plants called horsetails, ferns, cycads, and conifer trees.

What teeth tell us

20 We know about living things from long ago, such as dinosaurs, because of fossils. These were once their hard body parts, such as bones, claws, horns and shells. The hard parts did not rot away after death but got buried and preserved for millions of years. Gradually they turned to stone and became fossils. Today, we dig up the fossils, and their sizes and shapes give us clues to how prehistoric animals lived.

▶ Plant eater Edmontosaurus had flat teeth at the back of its jaws for chewing its food.

21 Dinosaur teeth were very hard and formed many fossils. Their shapes help to show what each type of dinosaur ate. Edmontosaurus had rows of broad, wide, sharp-ridged teeth in the sides of its mouth. These were ideal for chewing tough plant foods like twigs and old leaves.

▲ Tyrannosaurus had sharp, knifelike teeth at the front of its jaw for cutting and tearing meat.

22 Tarbosaurus had long, sharp teeth like knives or daggers. These were excellent for tearing up victims, and slicing off lumps of flesh for swallowing.

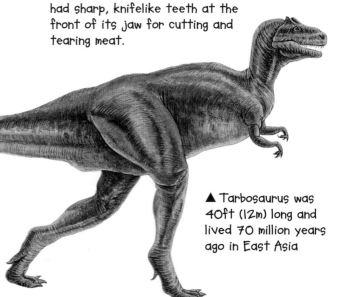

▲ Tarbosaurus was 40ft (12m) long and lived 70 million years ago in East Asia

▼ Baryonyx was 33ft (10m) long and lived 120 million years ago in Europe

FIND DINOSAUR TEETH AT HOME!

With the help of an adult, look in a utensils drawer or toolbox for dinosaur teeth! Some tools resemble the teeth of some dinosaurs, and do similar jobs. File or rasp—broad surface with hard ridges, like the plant-chewing teeth of Edmontosaurus. Knife—long, pointed, and sharp, like the meat-slicing teeth of Tyrannosaurus. Pliers—Gripping and squeezing, like the beak-shaped mouth of Ornithomimus.

23
Baryonyx had small, narrow, pointed, cone-shaped teeth. These resemble the teeth of a crocodile or dolphin today. They are ideal for grabbing slippery prey such as fish.

24
The teeth of the giant, long-necked dinosaur Apatosaurus were long, thin, and blunt, shaped like pencils. They worked like a rake to pull leaves off branches into the mouth, for the dinosaur to eat.

▶ Apatosaurus was 80ft (25m) long and lived 140 million years ago in western North America

25
Some dinosaurs, like Ornithomimus, had no teeth at all! The mouth was shaped like a bird's beak and made out of a tough, strong, horny substance like our fingernails. The beak was suited to pecking up all kinds of food like seeds, worms, and bugs, as birds do today.

▲ Ornithomimus, 12ft (3.5m), lived 70 million years ago in western North America

Super-size dinosaurs

26 The true giants of the Age of Dinosaurs were the sauropods. These vast dinosaurs all had a small head, long neck, barrel-shaped body, long tapering tail, and four pillar-like legs. The biggest sauropods included Brachiosaurus, Mamenchisaurus, Barosaurus, Diplodocus, and Argentinosaurus.

▲ Argentinosaurus was up to 130ft (39m) long, and weighed up to 100 tons.

27 Sauropod dinosaurs probably lived in groups or herds. We know this from their footprints, which have been preserved as fossils. Each foot left a print as large as a chair seat. Hundreds of footprints together showed many sauropods walked along with each other.

28 Sauropod dinosaurs may have swallowed pebbles— on purpose! Their peglike teeth could only rake in plant food, not chew it. Pebbles and stones gulped into the stomach helped to grind and crush the food. These pebbles, smooth and polished by the grinding, have been found with the fossil bones of sauropods.

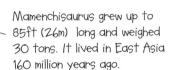

Mamenchisaurus grew up to 85ft (26m) long and weighed 30 tons. It lived in East Asia 160 million years ago.

29 The biggest sauropods like Apatosaurus were enormous beasts. They weighed up to ten times more than elephants of today. Yet their fossil footprints showed they could run quite fast—nearly as quickly as you!

Barosaurus lived 150 million years ago in North America and Africa. It was 90ft (27m) long and weighed 15 tons.

Brachiosaurus grew up to 80ft (25m) long, and weighed up to 50 tons. It lived 150 million years ago in North America and Africa.

Diplodocus lived in North America 150 million years ago. It grew to 90ft (27m) long and weighed up to 12 tons.

30 Sauropods probably had to eat most of the time, 20 hours out of every 24. They had enormous bodies which would need great amounts of food, but only small mouths to gather the food.

This modern truck is to the same scale as these huge dinosaurs!

I DON'T BELIEVE IT!

Diplodocus is also known as "Old Whiptail"! It could swish its long tail so hard and fast that it made an enormous CRACK like a whip. This living, leathery, scaly whip would scare away enemies or even rip off their skin.

Claws for killing

31 **Nearly all dinosaurs had claws on their fingers and toes.** These claws were shaped for different jobs in different dinosaurs. They were made from a tough substance called keratin—the same as your fingernails and toenails.

32 **Hypsilophodon had strong, sturdy claws.** This small plant eater, 6ft (1.8m) long, probably used them to scrabble and dig in soil for seeds and roots.

33 **Deinonychus had long, sharp, hooked claws on its hands.** This meat eater, about 10ft (3m) long, would grab a victim and tear at its skin and flesh.

▲ Deinonychus

34 **Deinonychus also had a huge hooked claw, as big as your hand, on the second toe of each foot.** This claw could kick out and flick down like a pointed knife to slash pieces out of the prey.

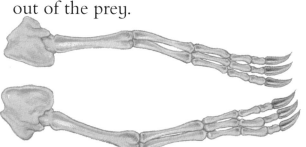

35 **Baryonyx also had a large claw but this was on the thumb of each hand.** It may have worked as a fish-hook to snatch fish from water. This is another clue that Baryonyx probably ate fish.

◄ These giant arms of the dinosaur Deinocheirus were found in Mongolia. Each one was bigger than a human, but nothing else of the skeleton has yet been found.

36
Iguanodon had claws on its feet. But these were rounded and blunt and looked more like hooves.

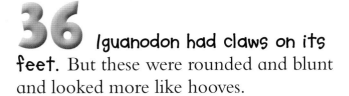

37
Iguanodon also had stubby claws on its hands. However, its thumb claw was longer and shaped like a spike, perhaps for stabbing enemies.

QUIZ 2
Compare these modern animals' claws to the dinosaurs and their claws shown here. Which modern animal has claws with a similar shape and job to each dinosaur?

1. Lion—sharp, tearing claws
2. Deer—Rounded blunt hooves
3. Elephant—Flat, nail-like claws
4. Mole—Broad, strong digging claws

1. Deinonychus 2. Iguanodon 3. Apatosaurus 4. Hypsilophodon

38
Giant sauropod dinosaurs had almost flat claws. Dinosaurs like Apatosaurus looked as if they had toenails on their huge feet!

Deadly meat eaters

39 The biggest meat-eating dinosaurs were the largest predators (hunters) ever to walk the Earth. Different types came and went during the Age of Dinosaurs. Allosaurus was from the middle of this time span. One of the last dinosaurs was also one of the largest predators—Tyrannosaurus. An earlier hunting dinosaur from South America was even huger—Giganotosaurus.

I DON'T BELIEVE IT!

Some meat-eating dinosaurs not only bit their prey, but also each other! Fossils of several Tyrannosaurus had bite marks on the head. Perhaps they fought each other to become chief in the group, like wolves today.

40 These great predators were well equipped for hunting large prey, including other dinosaurs. They all had massive mouths armed with long sharp teeth in powerful jaws. They had long, strong back legs for fast running, and enormous toe claws for kicking and holding down victims.

41 Meat-eating dinosaurs probably caught their food in various ways. They might lurk behind rocks or trees and rush out to surprise a victim. They might race as fast as possible after prey which ran away. They might plod steadily for a great time to tire out their meal. They might even scavenge—feast on the bodies of creatures which were dead or dying from old age or injury.

Albertosaurus, from North America, it was 30ft (9m) long and weighed 1 ton.

Allosaurus was 36ft (11m) long and weighed 2 tons. It came from North America.

Carnotaurus from South America was 25ft (7.5m) long and weighed 1 ton

Spinosaurus, from Africa, was 46ft (14m) long and weighed 4 tons.

Tyrannosaurus rex was 43ft (13m) long and weighed 6 tons. It lived in North America.

The biggest carnivore, Giganotosaurus, was a massive 50ft (15m) long and weighed 7 tons!

Look! Listen! Sniff!

42 Like the reptiles of today, dinosaurs could see, hear, and smell the world around them. We know this from fossils. The preserved fossil skulls had spaces for eyes, ears, and nostrils.

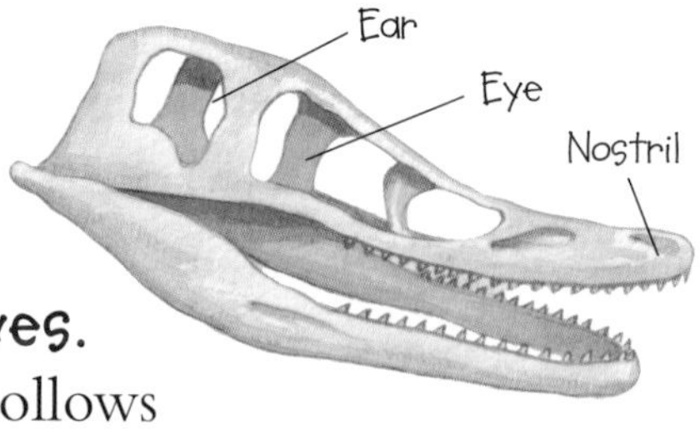

43 Some dinosaurs like Troodon had very big eyes. There are large, bowl-shaped hollows in the fossil skull for them. Today's animals with big eyes can see well in the dark, like mice, owls, and nighttime lizards. Perhaps Troodon prowled through the forest at night, peering in the gloom for small creatures to eat.

Ear
Eye
Nostril

44 There are also spaces on the sides of the head where Troodon had its ears. Dinosaur ears were round and flat, like the ears of other reptiles. Troodon could hear the tiny noises of little animals moving about in the dark.

◄ Troodon was about 6ft (1.8m) long and lived in North America 70 million years ago. You can its large eye sockets.

45

The nostrils of Troodon, where it breathed in air and smelled scents, were two holes at the front of its snout. With its delicate sense of smell, Troodon could sniff out its prey of insects, worms, little reptiles such as lizards, and small shrewlike mammals.

▲ Corythosaurus has a bony plate on its head, instead of the tube like Parasaurolophus.

46

Dinosaurs used their eyes, ears, and noses not only to find food, but also to detect enemies, and each other. Parasaurolophus had a long, hollow, tubelike crest on its head. Perhaps it blew air along this to make a noise like a trumpet, as an elephant does today with its trunk.

▶ Parasaurolophus was a "duck-billed" dinosaur or hadrosaur. It was about 30ft (9m) long and lived 80 million years ago in North America.

BIGGER EYES, BETTER SIGHT

Make a Troodon mask from cardboard. Carefully cut out the shape as shown. Carefully cut out two small eye holes, each half an inch (1cm) across. Attach a rubber band so you can wear the mask and find out how little you can see. Carefully make the eye holes as large as the eyes of the real Troodon. Now you can have a much clearer view of the world!

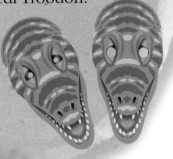

47

Dinosaurs like Parasaurolophus may have made noises to send messages to other members of their group or herd. Different messages could tell the others about finding food or warn them about enemies.

Living with dinosaurs

48 **All dinosaurs walked and ran on land, as far as we know.** No dinosaurs could fly in the air or spend their lives swimming in the water. But many other creatures, which lived at the same time as the dinosaurs, could fly or swim. Some were reptiles, like the dinosaurs.

Predators like Velociraptor were meat-eating dinosaurs with large arms, wrists, and hands. Over millions of years these could have evolved feathers to become a bird's wings.

49 **Ichthyosaurs were reptiles that lived in the sea.** They were shaped like dolphins, long and slim with fins and a tail. They chased after fish to eat.

50 **Plesiosaurs were also reptiles that swam in the sea.** They had long necks, tubby bodies, four large flippers, and a short tail.

51 **Turtles were another kind of reptile that swam in the sea during the Age of Dinosaurs.** Each had a strong, domed shell and four flippers. Turtles still survive today, but ichthyosaurs and plesiosaurs died out with the dinosaurs, long ago.

Turtle

Plesiosaur

Ichthyosaur

Hadrosaurs like Anatosaurus were duck-billed dinosaurs with a tall, deep tail like a crocodile's tail. Perhaps Anatosaurus swished this from side to side to swim now and again. But it did not live in the water.

53 Birds first appeared about 150 million years ago. It is possible that over millions of years certain small, meat-eating dinosaurs called raptors developed feathers. Slowly their arms became wings. Gradually they evolved into the very first birds.

54 Birds evolved after the dinosaurs, but birds did overlap with the dinosaurs. Some dived for fish in the sea, very much like birds such as gulls and terns today.

Ichthyornis

52 Pterosaurs were reptiles that could fly. They had thin, skinlike wings held out by long finger bones. Some soared over the sea and grabbed small fish in their sharp-toothed, beak-shaped mouths. Others swooped on small land animals.

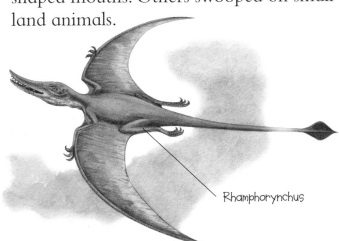

Rhamphorynchus

QUIZ 3

Which of these are NOT dinosaurs?

A Pterosaur

B Raptor

C Plesiosaur

D Hadrosaur

E Ichthyosaur

F Bird

A Pterosaur, C Plesiosaur, E Ichthyosaur, F Bird

Fastest and slowest

55 Dinosaurs walked and ran at different speeds, according to their size and shape. In the world today, cheetahs and ostriches are slim with long legs and run very fast. Elephants and hippos are massive heavyweights and plod slowly. Dinosaurs were similar. Some were big, heavy and slow. Others were slim, light, and speedy.

▲ Struthiomimus lived about 75 million years ago in northwest North America.

56 Struthiomimus was one of the fastest of all the dinosaurs. It was more than 6ft (1.8m) tall and 13ft (4m) long. It had long back legs and large clawed feet, like an ostrich. It also had a beak-shaped mouth for pecking food, like an ostrich. This is why it is also called an "ostrich dinosaur." It could probably run at more than 40mph (70 km/h).

▼ Coelophysis was 10ft (3m) long. It was one of the earliest dinosaurs, living about 220 million years ago.

57 Muttaburrasaurus was a huge ornithopod type of dinosaur, a cousin of Iguanodon. It probably walked about as fast as you, 2–3mph (4–5km/h). It might have been able to reach a top speed of 9mph (15km/h), making the ground shake with its 4-ton weight!

▲ Muttaburrasaurus lived about 110 million years ago in south-east Australia.

58 Coelophysis was a slim, lightweight dinosaur. It could probably trot, jump, leap, and dart around with great agility. Sometimes it ran upright on its two back legs. Or it could bound along on all fours like a dog at more than 20mph (30km/h).

QUIZ 4

Put these dinosaurs and today's animals in order of top running speed, from slowest to fastest.

Human (25mph/40km/h)
Cheetah (60mph/100km/h)
Struthiomimus (40mph/70km/h)
Muttaburrasaurus (9mph/15km/h)
Sloth (0.12mph/0.2km/h)
Coelophysis (20mph/30km/h)

Sloth, Muttaburrasaurus,
Coelophysis, Human, Struthiomimus,
Cheetah

Dinosaur tanks

59 Some dinosaurs had body defenses against predators. These might be large horns and spikes, or thick hard lumps of bone like armor plating. Most armored dinosaurs were plant eaters. They had to defend themselves against big meat-eating dinosaurs such as Tyrannosaurus.

60 Triceratops had three horns, one on its nose and two much longer ones above its eyes. It also has a wide shieldlike piece of bone over its neck and shoulders. The horns and neck frill made Triceratops look very fearsome. But most of the time it quietly ate plants. If it was attacked, Triceratops could charge at the enemy and jab with its horns, just as a rhino does today.

Triceratops was 30ft (9m) long and weighed over 5 tons. It lived 65 million years ago in North America.

61
Euoplocephalus was a well-armored dinosaur. It had bands of thick, leathery skin across its back. Big, hard, pointed lumps of bone were set into this skin like studs on a leather belt. Euoplocephalus also had a great lump of bone on its tail. It measured almost 3ft (90cm) across and looked like a massive hammer or club. Euoplocephalus could swing it at predators to injure them or break their legs.

DESIGN A DINOSAUR!

Make an imaginary dinosaur! It might have the body armor and tail club of Euoplocephalus, or the head horns and neck frill of Triceratops.

You can draw your dinosaur, or make it out of pieces of cardboard or from modeling clay. You can give it a made-up name, like Euoplo-ceratops.

How well protected is your dinosaur? How does it compare to some well-armored creatures of today, such as a tortoise, armadillo, or porcupine?

Styracosaurus

Protoceratops

Euoplocephalus

Dinosaur eggs and nests

62 Like most reptiles today, dinosaurs produced young by laying eggs. These hatched out into baby dinosaurs which gradually grew into adults.

Fossils have been found of eggs with dinosaurs still developing inside, as well as fossils of just-hatched baby dinosaurs.

▲ A fossilized baby developing inside an egg.

63 Many kinds of dinosaur eggs have been found. Protoceratops was a pig-sized dinosaur that lived 85 million years ago in what is now the Gobi Desert of Asia.

▲ Protoceratops egg

64 A Protoceratops female arranged her eggs. The eggs were carefully positioned in a spiral shape, or in circles one within the other.

▼ A female Protoceratops with her eggs

65 Protoceratops scraped a bowl–shaped nest about 3ft (90cm) across in the dry soil. Probably the female did this. Today, only female reptiles make nests and some care for the eggs or babies. Male reptiles take no part.

▲ Hadrosaur egg

66 The eggs probably hatched after a few weeks. The eggshell was slightly leathery and bendy, like most reptile eggshells today, and not brittle or hard like a bird's.

67 Fossils of baby Protoceratops show that they looked very much like their parents. But the neck frill of the baby Protoceratops was not as large compared to the rest of the body, as in the adult. As the youngster grew, the frill grew faster than the rest of the body. In humans, a baby's head is larger compared to the rest of its body. As the baby's body grows, its head grows slower.

▶ This is part of a life–size Tyrannosaurus egg.

QUIZ 5

1. How long was Triceratops?
2. How many horns did Triceratops have?
3. How many eggs did a female Protoceratops lay?
4. Did dinosaurs lay hard eggs like birds, or bendy eggs?
5. How long was a Tyrannosaurus rex egg?

1. 9 metres 2. Three 3. About 20 eggs 4. They laid bendy, leathery eggs 5. 1in (40cm)

68 Other dinosaurs laid different sizes and shapes of eggs. Huge sauropod dinosaurs like Brachiosaurus probably laid rounded eggs as big as basketballs. Eggs of big meat eaters like Tyrannosaurus were more sausage-shaped, 16in (40cm) long and 6in (15cm) wide.

69 Most dinosaurs simply laid their eggs in a nest or buried in soil, and left them to hatch on their own. The baby dinosaurs had to find their own food and defend themselves against enemies. But other dinosaurs looked after their babies.

Dinosaur babies

70 Some dinosaur parents looked after their babies and even brought them food in the nest. Fossils of the hadrosaur dinosaur Maiasaura included nests, eggs, babies after hatching, and broken eggshells. Some fossils were of unhatched eggs but broken into many small parts, as though squashed by the babies which had already come out of their eggs.

71 The newly hatched Maiasaura babies had to stay in the nest. They could not run away because their leg bones had not yet become strong and hard. The nest was a mound of mud about 6ft (1.8m) across, and up to 20 babies lived in it.

A full-grown Maiasaura was about 30ft (9m) long and weighed around 3 tons. A newly hatched Maiasaura baby was only 12–16in (30–40cm) long. Maiasaura lived about 75 million years ago in North America.

Hundreds of fossil Maiasaura nests have been found close together, showing that these dinosaurs bred in groups or colonies. The nests showed signs of being dug out and repaired year after year, which suggests the dinosaurs kept coming back to the same place to breed.

72 Fossils of Maiasaura nests also contain fossilized twigs, berries, and other bits of plants. Maiasaura was a plant-eating dinosaur, and it seems that one or both parents brought food to the nest for their babies to eat. The tiny teeth of the babies already had slight scratches and other marks where they had been worn while eating food. This supports the idea that parent Maiasaura brought food to their babies in the nest.

I DON'T BELIEVE IT!

Baby dinosaurs grew up to five times faster than human babies! A baby sauropod dinosaur like Diplodocus was already 3ft (90cm) long and weighed 65lb (30kg) when it hatched!

The end for the dinosaurs

73 **All dinosaurs on Earth died out by 65 million years ago.** There are dinosaur fossils in the rocks up to this time, but there are none after. There are, though, fossils of other creatures such as fish, insects, birds, and mammals. What happened to wipe out some of the biggest, most numerous, and most successful animals the world has ever seen? There are many ideas. It could have been one disaster, or a combination of several.

74 **The dinosaurs may have been killed by a giant lump of rock, a meteorite.** This may have come from outer space and smashed into Earth. It threw up vast clouds of water, rocks, ash, and dust that blotted out the sun for many years. Plants could not grow in the gloom so plant-eating dinosaurs died out. Meat-eating dinosaurs had no food so they died as well.

75 Many volcanoes around the Earth could have erupted all at the same time. This would have thrown out red-hot rocks, ash, dust, and clouds of poison gas. Dinosaurs would have choked and died in the gloom.

76 Dinosaurs might have been killed by a disease. This could have gradually spread among all the dinosaurs and killed them off.

77 It might be that dinosaur eggs were eaten by a plague of animals. Small, shrewlike mammals were around at the time. They may have eaten the eggs at night as the dinosaurs slept.

METEORITE SMASH!

You will need:
a plastic bowl   a place where a
cooking flour   mess does not
a large pebble   matter!
a desk light

Ask an adult for help. Put the flour in the bowl. This is Earth's surface. Place the desk light so it shines over the top of the bowl. This is the sun. The pebble is the meteorite from space. WHAM! Drop the pebble into the bowl. See how the tiny bits of flour float in the air like a mist, making the "sun" dimmer. A real meteorite smash may have been the beginning of the end for the dinosaurs.

After the dinosaurs

78 From 65 million years ago there were no dinosaurs left. Dinosaurs were not the only group of animals to perish at that time. The flying reptiles called pterosaurs, the swimming reptiles, ichthyosaurs and plesiosaurs, also died. When a group of living things dies out completely, this is known as extinction. When many groups of living things all disappear at about the same time, this is a mass extinction.

◀ Diatryma, a giant flightless bird

79 Even though many kinds of animals and plants died out 65 million years ago, many other groups lived on. Insects, worms, fish, birds, and mammals all survived the mass extinction—and these groups are still alive today.

80 Even though the dinosaurs and many other reptiles died out in the mass extinction, several other groups of reptiles did not. Crocodiles, turtles and tortoises, lizards, and snakes all survived. Why some kinds of reptiles like dinosaurs died out in the mass extinction, yet other types did not, still puzzles dinosaur experts today.

▼ The mass extinction of 65 million years ago killed the dinosaurs and many other kinds of animals and plants. But plenty of living things survived, as shown here.

▼ Hesperocyon   ▼ Hyracotherium

81 After the mass extinction, two main groups of animals began to take the place of the dinosaurs and spread over the land. These were birds and mammals. No longer were mammals small and skulking, coming out only after dark when the dinosaurs were asleep. The mammals changed or evolved to become bigger, with many kinds from peaceful plant eaters to huge, fierce predators.

I DON'T BELIEVE IT!

The earliest birds had wings and flapped through the skies. But many of the birds that appeared after the dinosaurs could not fly!

Myths and mistakes

82 As far as we can tell from the clues we have, some of the ideas which have grown up about dinosaurs are **not true.** For example, dinosaurs are shown in different colors such as brown or green. Some have patches or stripes. But no one knows the true colors of dinosaurs. There are a few fossils of dinosaur skin. But being fossils, these have turned to stone and so they are the color of stone. They are no longer the color of the original dinosaur skin.

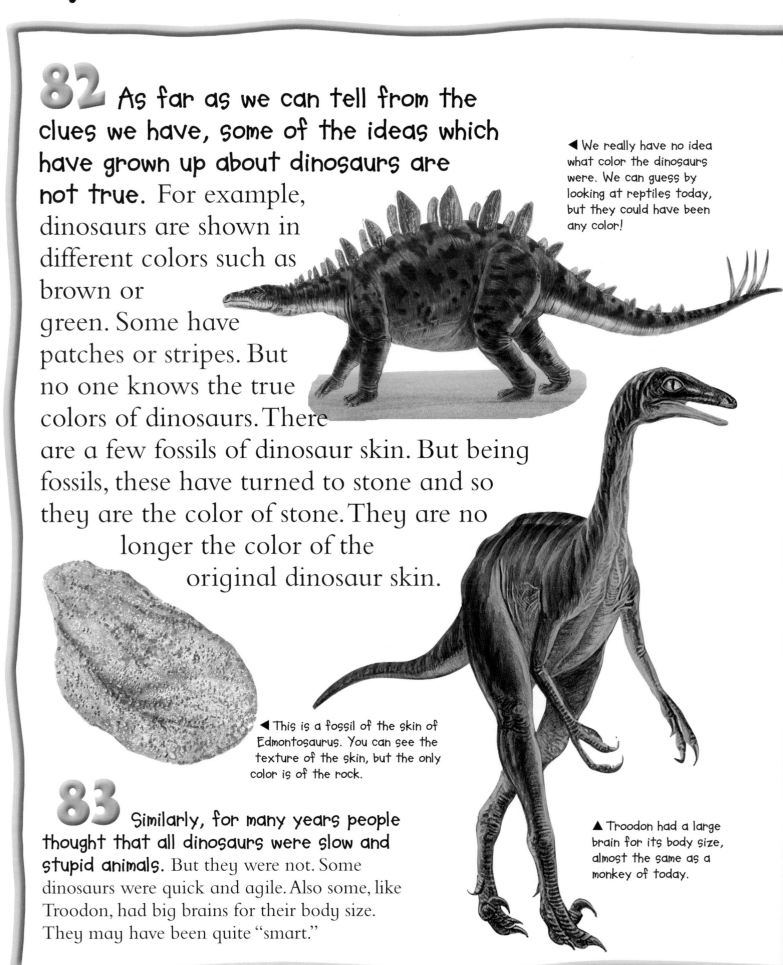

◄ We really have no idea what color the dinosaurs were. We can guess by looking at reptiles today, but they could have been any color!

◄ This is a fossil of the skin of Edmontosaurus. You can see the texture of the skin, but the only color is of the rock.

83 Similarly, for many years people thought that all dinosaurs were slow and stupid animals. But they were not. Some dinosaurs were quick and agile. Also some, like Troodon, had big brains for their body size. They may have been quite "smart."

▲ Troodon had a large brain for its body size, almost the same as a monkey of today.

84 Scientists began to study fossils of dinosaurs about 160 years ago, in the 19th century. These first dinosaurs to be studied were very big, such as Megalosaurus, Iguanodon, and Plateosaurus. So the idea grew up that all dinosaurs were huge. But they were not. Compsognathus, one of the smallest dinosaurs, was only 30in (75cm) long—about as big as a pet cat of today.

◀ Compsognathus weighed only 6lb (2.8kg) and lived 155 million years ago in Europe.

◀ Its name means "elegant jaw." Its teeth were small and spaced apart from each other. This makes it likely that Compsognathus ate small reptiles and insects, rather than attacking large prey.

▲ These Wannanosaurus are using their bony skull caps to fight over territory, food or a mate. The battle is fierce, but Wannanosaurus was only about 24in (60cm) long! It lived in Asia about 85 million years ago.

I DON'T BELIEVE IT!

One dinosaur's thumb was put on its nose! When scientists first dug up fossils of Iguanodon, they found a bone shaped like a horn, as if for Iguanodon's nose. Most scientists now believe that the spike was a thumb claw.

85 Another idea grew up that early cave people had to fight against dinosaurs and kill them—or the other way around. But they did not. There was a very long gap, more than 60 million years, between the very last of the dinosaurs and the earliest people.

86 Some people believe that dinosaurs may survive today in remote, faraway places on Earth, such as thick jungle or ocean islands. But most of the Earth has now been visited and explored, and no living dinosaurs have been seen.

How do we know?

87 We know about dinosaurs mainly from their fossils. Fossils took thousands or millions of years to form. Most fossils form on the bottoms of lakes, rivers, or seas, where sand and mud can quickly cover them over and begin to preserve them. If the animal is on dry land, they are more likely to be eaten, or simply to rot away to nothing.

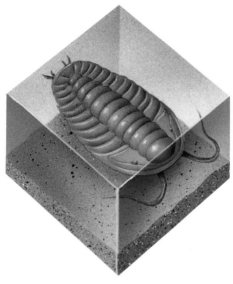

Fossils take millions of years to form. Firstly, an animal, like this trilobite dies. Trilobites lived in the sea about 600 million years ago, long before the first dinosaurs.

▼ Stegoceras was a pachycephalosaur or "bone-head" dinosaur. It had a very thick layer of bone on top of its head, like an armored helmet. Its name means "horny roof"!

Stegoceras was 6ft (1.8m) long. We can tell from its teeth that it was a herbivore, or plant eater. We can tell roughly the date of the rocks in which the fossil was preserved, so can tell that it lived 70 million years ago on the west coast of what is now North America. Like many plant eaters, it probably lived in a large herd.

88 The body parts most likely to fossilize were the hardest ones, which rot away most slowly after death. These included animal parts such as bones, teeth, horns, claws, and shells, and plant parts such as bark, seeds, and cones.

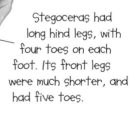

Stegoceras had long hind legs, with four toes on each foot. Its front legs were much shorter, and had five toes.

89 Very rarely, a dinosaur or other living thing was buried soon after it died. Then a few of the softer body parts also became fossils, such as bits of skin or the remains of the last meal in the stomach.

The soft parts rot away.

The remaining shell is buried in mud.

The mud turns to rock, which turns the shell to rock, and makes a fossil.

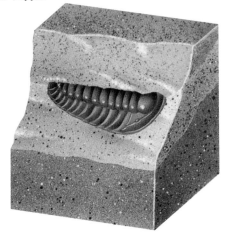

The skull of Stegoceras was dome-shaped. The thickest part of the bony plate was 2.5in (6cm) thick, and it protected the brain. From this scientists have guessed that Stegoceras may have had head-butting contents.

▼ Stegoceras may have had head-butting contests with rivals at breeding time, like male sheep and goats do today.

91 **Dinosaur droppings also formed fossils!** They have broken bits of food inside, showing what the dinosaur ate. Some dinosaur droppings are as big as a TV set!

90 **Not all dinosaur fossils are from the actual bodies of dinosaurs.** Some are the signs, traces or remains that they left while alive. These include eggshells, nests, tunnels, footprints, and claw and teeth marks on food.

QUIZ 6

What formed fossils?

Which body parts of a dinosaur were most likely to become fossils? Remember, fossils form from the hardest, toughest bits that last long enough to become buried in the rocks and turned to stone.

Skull bone   Blood
Muscle   Claws
Leg bone   Eye
Scaly skin   Teeth

Skull bone, leg bone, teeth, claws are most likely to form fossils

Digging up dinosaurs

92 Every year, thousands of dinosaur fossils are discovered. Most of them are from dinosaurs already known to scientists. But five or ten might be from new kinds of dinosaurs. From the fossils, scientists try to work out what the dinosaur looked like and how it lived, all those millions of years ago.

▼ These are paleontologists, scientists that look for and study dinosaur bones, uncovering a new skeleton.

93 Most dinosaur fossils are found by hard work. Fossil experts called paleontologists study the rocks in a region and decide where fossils are most likely to occur. They spend weeks chipping and digging the rock. They look closely at every tiny piece to see if it is part of a fossil. However, some dinosaur fossils are found by luck. People out walking in the countryside come across a fossil tooth or bone by chance. What a discovery!

94 Finding all the fossils of a single dinosaur, neatly in position as in life, is very rare indeed. Usually only a few fossil parts are found from each dinosaur. These are nearly always jumbled up and broken.

People dig carefully into the rock with hammers, picks, and brushes.

Scientists make notes, sketches, and photographs, to record every stage of the fossil "dig."

95 The fossils are taken back to the paleontology laboratory. They are cleaned and laid out to see which parts are which. It is like trying to assemble a jigsaw puzzle, with most of the pieces missing. Even those that remain are bent and torn. The fossils are put back together, then soft body parts that did not form fossils, such as skin, are added. Scientists use clues from similar animals alive today, such as crocodiles, to help "rebuild" the dinosaur.

▲ cleaning fossils

▲ laying out fossils

▲ Finally, the rebuilt skeleton is displayed in a museum.

Fossils are solid rock and very heavy, but also brittle and easy to crack. So they may need to be wrapped in a strong casing such as plaster-of-paris or fiberglass.

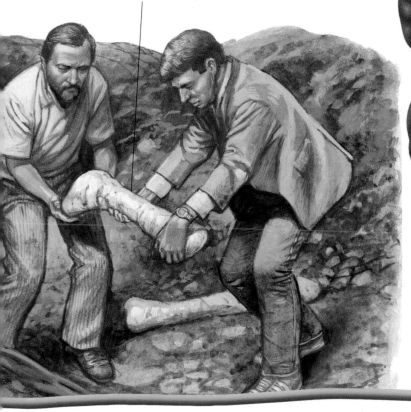

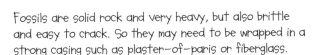

QUIZ 7

1. What do we call a scientist that studies fossils?

2. How is a fossil "dig" recorded?

3. How are fossils packed to protect them?

4. What animals can scientists compare dinosaurs fossils with?

1. A Paleontologist 2. Notes, sketches, and photographs 3. They are put in plaster-of-paris or fiberglass 4. Crocodiles

Finding new dinosaurs

96 The first fossils of dinosaurs to be studied by scientists came from Europe and North America. However, since those early discoveries, in the 1830s and 1840s, dinosaur fossils have been found all over the world.

NORTH AMERICA
EUROPE
CHINA
AFRICA
SOUTH AMERICA
AUSTRALIA

97 Some of the most exciting fossils from recent years are being found in China. They include Caudipteryx, Protoarchaeopteryx, and Sinosauropteryx. Tiny details of the fossils show that these strange creatures may have had feathers. Today, any creature with feathers is a bird. So were they birds? Or were they dinosaurs with feathers? Nobody knows yet!

Sinosauropteryx

Caudipteryx

Protoarchaeopteryx

98 Many more exciting finds are being made in Australia, Africa, and South America. The small plant eater Leaellynasaura, about 6ft (1.8m) long and 3ft (90cm) tall, lived in Australia 110 million years ago. It may have slept through a cold, snowy winter. Fossils of giant sauropod dinosaurs such as Jobaria and Janenscia have been uncovered in Africa. In South America there are fossil finds of the biggest plant eaters and meat eaters, such as Argentinosaurus and Giganotosaurus.

▶ Jobaria and Janenscia are two newly discovered, giant sauropod dinosaurs from Africa

99 Some people believe that one day, dinosaurs may be brought back to life.

This has already happened—but only in stories, such as the Jurassic Park films. However, scientists are trying to obtain genetic material, the chemical called DNA, from fossils. The genetic material may contain the "instructions" for how a dinosaur grew and lived.

100 Dinosaurs lived and died long, long ago.

Their world has been and gone, and cannot alter. But what is changing is our knowledge of the dinosaurs. Every year we know more about them. One sure thing about dinosaurs is that what we know now, will change in the future.

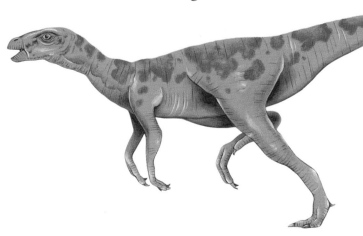

▲ Leaellynasaura was discovered in 1989, in a place called "Dinosaur Cove" near Melbourne, Australia. The scientists Pat and Thomas Rich found its fossils.

I DON'T BELIEVE IT!

One dinosaur is named after a young girl! Leaellynasaura was named after the daughter of the scientists who found its fossils!

Reptiles and amphibians

101 **Reptiles and amphibians are cold-blooded animals.** This means that they cannot control their body temperature like we can. A reptile's skin is dry and scaly; most reptiles spend much of their time on land. Most amphibians live in or around water. The skin of an amphibian is smooth and wet.

Nile crocodiles

Golden arrow-poison frog

Spotted salamander

Common frog

Eastern green
mamba snake

Komodo dragon

Indian cobra

Desert
tortoise

Jackson's
chameleon

Shingleback
lizard

Frilled lizard

Scales and slime

102 **Reptiles and amphibians can be divided into groups.** There are four kinds of reptiles, snakes and lizards, the crocodile family, tortoises and turtles, and the tuatara. Amphibians are split into frogs and toads, newts and salamanders, and caecilians.

▲ Crocodiles are the largest reptiles in the world. Their eyes and nostrils are placed high on their heads so that they can stay mostly under water while approaching their prey.

103 **Reptiles do a lot of sunbathing!** They do this, called basking, to get themselves warm with the heat from the sun so that they can move around. When it gets cold, at night or during a cold season, they might sleep, or they might hibernate, which means that they go into a very deep sleep.

104 **Most reptiles have dry, scaly, waterproof skin.** This stops their bodies from drying out. The scales are made of keratin and may form very thick, tough plates. Human nails are also made of the same sort of material.

▲ This reptile, an agama lizard from Africa, gets itself warm by lying, or basking, in the sun.

105

The average amphibian has skin that is moist, fairly smooth and soft. Oxygen can pass easily through their skin, which is important because most adult amphibians breathe through their skin as well as with their lungs. Reptiles breathe only through their lungs.

106

Amphibians' skin is kept moist by special glands just under the surface. These glands produce a sticky substance called mucus. Many amphibians also keep their skin moist by making sure that they are never far away from water.

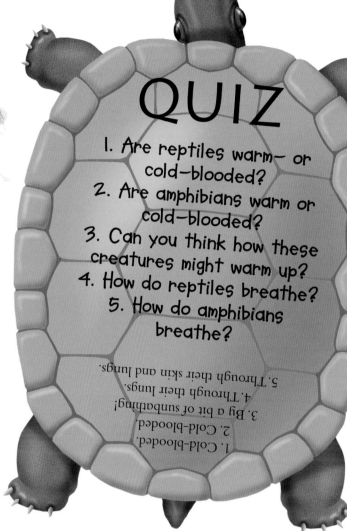

QUIZ

1. Are reptiles warm– or cold–blooded?
2. Are amphibians warm or cold–blooded?
3. Can you think how these creatures might warm up?
4. How do reptiles breathe?
5. How do amphibians breathe?

1. Cold-blooded.
2. Cold-blooded.
3. By a bit of sunbathing!
4. Through their lungs.
5. Through their skin and lungs.

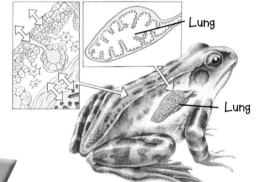

▶ Oxygen passes in through the skin and into the blood, while carbon dioxide passes out.

Lung

Lung

107

Some amphibians have no lungs. Humans breathe with their lungs to get oxygen from the air and breathe out carbon dioxide. Most amphibians breathe through their skin and lungs, but lungless salamanders breathe only through their skin and the lining of the mouth.

Sun worshipers

108 Most reptiles live in warm or hot habitats. Many are found in dry, burning-hot places such as deserts and dry grassland. They have various clever ways of surviving in these harsh conditions.

109 Even reptiles can get too hot sometimes! When this happens, they hide in the shade of a rock or bury themselves in the sand. Some escape the heat by being nocturnal—coming out mostly at night.

Common iguana

Banded gecko

Desert tortoise

Spadefoot toad

110 Reptiles need very little food and water. Unlike warm-blooded animals, they don't use food to create body heat, so many can survive in places with scarce food supplies, such as deserts. Their thick skin means that as little water as possible escapes from their bodies.

111 Reptiles need a certain level of warmth to survive. This is why there are no reptiles in very cold places, such as at the North and South Poles, or at the very tops of mountains.

112 Like reptiles, many amphibians live in very hot places. But sometimes it can get too hot and dry for them. The spadefoot toad from Europe, Asia, and North America buries itself in the sand to escape the heat and dryness.

Banded gecko

Leopard lizard

Zebratail lizard

North American puff adder

Cooler customers

113 Many amphibians are common in cooler, damper parts of the world. Amphibians like wet places. Most mate and lay their eggs in water.

114 As spring arrives, amphibians come out of hiding. The warmer weather sees many amphibians returning to the pond or stream where they were born. This may mean a very long journey through towns or over busy roads.

I DON'T BELIEVE IT!

Look out—frog crossing the road! In some countries, signs warn drivers of a very unusual "hazard" ahead—frogs or toads traveling along the roads to return to breeding grounds.

115 When the weather turns especially cold, amphibians often hide away. They simply hibernate in the mud at the bottom of ponds or under stones and logs. This means that they go to sleep in the autumn, and don't wake up until spring!

▶ This aquatic, or water-living, salamander is called a mudpuppy. It lives in freshwater lakes, rivers, and streams in North America.

116 Journeys to breeding grounds may be up to 3mi (5km) long, a long way for an animal only a few inches in length! This is like a man walking to a pond 55mi (90km) away without a map! The animals find their way by scent, landmarks, the Earth's magnetic field, and the Sun's position.

Water babies

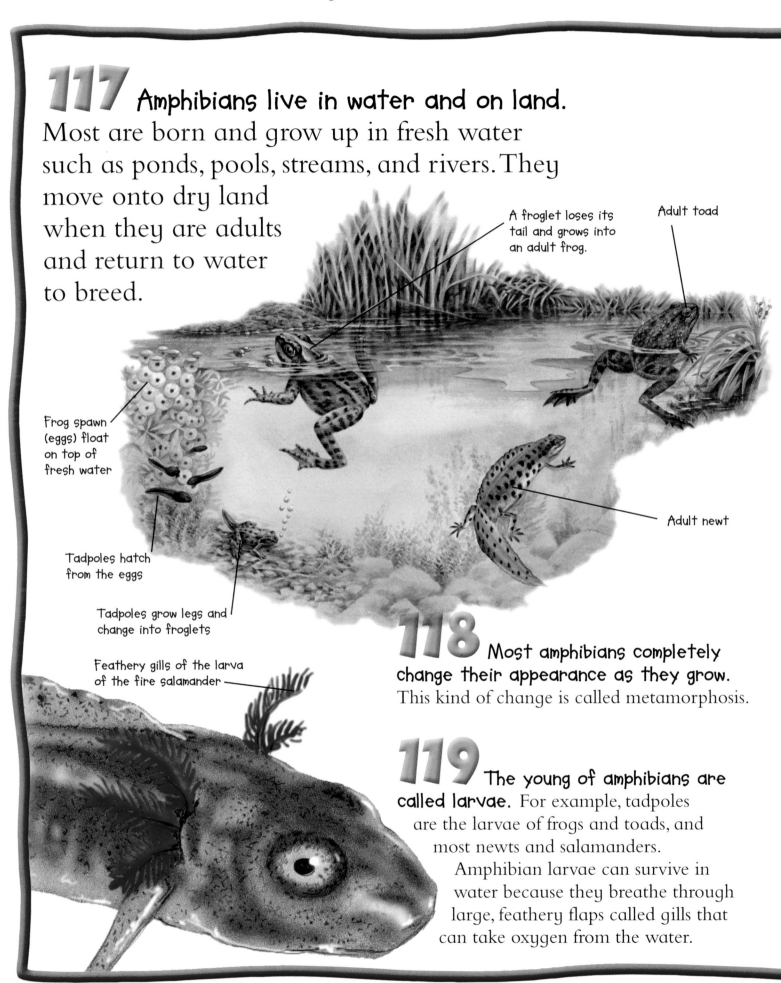

117 Amphibians live in water and on land. Most are born and grow up in fresh water such as ponds, pools, streams, and rivers. They move onto dry land when they are adults and return to water to breed.

A froglet loses its tail and grows into an adult frog.

Adult toad

Frog spawn (eggs) float on top of fresh water

Tadpoles hatch from the eggs

Tadpoles grow legs and change into froglets

Adult newt

Feathery gills of the larva of the fire salamander

118 Most amphibians completely change their appearance as they grow. This kind of change is called metamorphosis.

119 The young of amphibians are called larvae. For example, tadpoles are the larvae of frogs and toads, and most newts and salamanders.

Amphibian larvae can survive in water because they breathe through large, feathery flaps called gills that can take oxygen from the water.

▼ The axolotl lives only in Mexico, in the southern part of North America.

120
The axolotl is an amphibian that has never grown up. This type of water-living salamander has never developed beyond the larval stage. It does, however, develop far enough to be able to breed.

121
The majority of amphibians lay soft eggs. These may be in a jelly-like string or clump of tiny eggs called spawn, as with frogs and toads. Newts lay their eggs singly.

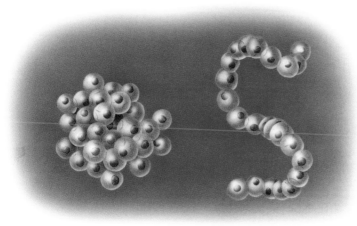

▲ Most amphibians lay their eggs in clumps or strings like these.

122
A few amphibians give birth to live young instead of laying eggs. The eggs of the fire salamander, for example, stay inside their mother, where the young hatch out and develop. She then gives birth to young that are much like miniature adults.

Landlubbers

123
The majority of reptiles spend their whole lives away from water.
They are very well adapted for life on dry land. Some do spend time in the water, but most reptiles lay their eggs on land.

▲ This female West African dwarf crocodile is laying her eggs in a hole, dug near to the water.

124
Most reptile eggs are much tougher than those of amphibians. This is because they must survive life out of the water. Lizards and snakes lay eggs with leathery shells. Crocodile and tortoise eggs have a hard shell rather like birds' eggs.

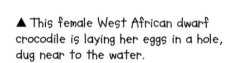

▲ Alligators lay their eggs in a mound of plants and earth. They lay between 35 and 40 eggs.

▲ A ground python's egg is large compared to its body. A female is about 26in (65cm) long, and her eggs are about 5in (12cm) long.

▲ A lizard called a Javan bloodsucker lays strange eggs like this. No one knows why their eggs are this very long and thin shape.

▲ Galapagos giant tortoises lay round eggs like this one. They will hatch up to 200 days after they were laid.

125

The eggs feed and protect the developing young.
The egg yolk provides food for the developing young, called an embryo. The shell protects the embryo from the outside world, but also allows vital oxygen into the egg.

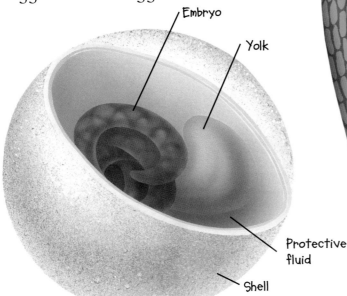

Embryo

Yolk

Protective fluid

Shell

INVESTIGATING EGGS

Reptile eggs are rather like birds' eggs. Next time you eat an omelet or boiled egg, rinse out half an empty eggshell, fill it with water, and wait a while. Do you see how no water escapes? Wash your hands well once you're done. Like this bird's eggshell, reptile eggshells stop the egg from drying out, although they let air in and are tough enough to protect the embryo.

126

Young reptiles hatch out of eggs as miniature adults. They do not undergo a change, or metamorphosis, as amphibians do.

◄ Slow worms are not worms at all. They are legless lizards that live in Europe, Africa, and Asia. They are viviparous lizards, which means that they give birth to live young.

127

Some snakes and lizards, like slow worms, don't lay eggs. Instead, they give birth to fully developed live young. Animals that do this are called "viviparous."

Snake eggs left in the undergrowth

Little and large

128 Reptiles and amphibians come in every shape and size. There are more than 6,500 species (types) of reptiles and 4,000 species of amphibians. They range from tiny frogs to giant, dinosaur-like lizards.

129 The largest reptile award goes to the saltwater crocodile from around the Indian and west Pacific Oceans. It measures 26ft (8m) from nose to tail—an average adult man is not even 6ft (1.8m) tall! Cold streams in Japan are home to the largest amphibian—a giant salamander that is around 5ft (1.5m) long, and weighs up to 90lb (41kg).

▲ The saltwater or estuarine crocodile lives in southern India, Indonesia, and North Australia. It is the largest and one of the most dangerous species of crocodile. The giant salamander, though, is mostly harmless and feeds on snails and worms.

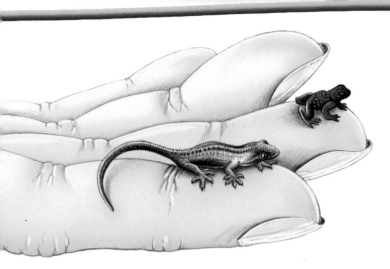

QUIZ

1. Where does the world's smallest reptile come from?
2. What kind of animal is the world's largest amphibian?
3. Where does the world's largest crocodile live?
4. Which group contains more species—reptiles or amphibians?

1. The Caribbean Virgin Islands.
2. A Japanese salamander.
3. Australia and India
4. Reptiles.

130 The world's tiniest reptile is a gecko from the Caribbean Virgin Islands. This lizard measures under 0.8in (20mm) long. A Brazilian frog is among the smallest of amphibians. Its body length is just 0.4in (10mm), that's almost small enough to fit on your thumbnail!

◀ One type of giant tortoise comes from the Galapagos Islands in the Pacific Ocean, to the west of South America. The tortoise grows up to 4ft (1.2m) long, and can weigh 475lb (215kg).

Adaptable animals

131 Many species have amazing special adaptations to help them live safely and easily in their surroundings. Crocodiles, for example, have a special flap in their throats which means that they can open their mouth underwater without breathing in water.

132 Geckos can climb up vertical surfaces or even upside down. They are able to cling on because they have five wide-spreading toes, each with sticky toe pads, on each foot. These strong pads are covered with millions of tiny hairs that grip surfaces tightly.

Wide toe pads covered with tiny hairs

▶ This is a tokay gecko from South and Southeast Asia. It is one of the most common geckos, and also one of the largest, measuring up to 11in (28cm) long. It is usually easy to find them because they like to live around houses. The people of Asia and Indonesia believe that it is good luck for a gecko to come and live by or in their house!

133 Tortoises and turtles have hard, bony shells for protection. They form a suit of armor that protects them from predators (animals who might hunt and eat them) and also from the hot sun.

134 **Chameleons have adapted very well to their way of life in the trees.** They have long toes to grip branches firmly, and a long tail that can grip branches like another hand. Tails that can grip like this are called "prehensile." Chameleons are also famous for being able to change their color to blend in with their surroundings. This is called "camouflage," and is something that many other reptiles and amphibians use.

▲ California newt

135 **The flattened tails of newts make them expert swimmers.** Newts are salamanders that spend most of their lives in water, so they need to be able to get about speedily in this environment.

▶ This is a very close-up view of a small part of a gill. As water flows over the gills, oxygen can pass into the amphibian's blood.

water flows over the gills

READING ABOUT REPTILES

Pick a favorite reptile or amphibian and then find out as much as you can about it. List all the ways you think it is especially well adapted to deal with its lifestyle and habitat.

136 **An amphibian's gills enable it to breathe underwater.** Blood flows inside the feathery gills, at the same time as water flows over the outside. As the water flows past the gills, oxygen passes out of the water, straight into the blood of the amphibian.

Natural show-offs

► Cobras make themselves look more threatening by forming a wide hood of loose skin stretched over flexible ribs.

137 Certain reptiles and amphibians love to make a show of themselves. Some of this "display" behavior is used to attract females when the breeding season comes around. It is also used to make enemies think twice before pouncing.

◄ This great crested newt from Europe is showing its colors.

138 Male newts go to great lengths to impress during the mating season. Great crested newts develop frills along their backs, black spots over their skin, and a red flush across the breast. Their colorful spring coat also warns off enemies.

139 The male anole lizard of Central and South America guards his territory and mates jealously. When rival males come too close, he puffs out a bright red throat pouch at them. Two males may face each other with inflated throats for hours at a time!

▼ Common toad

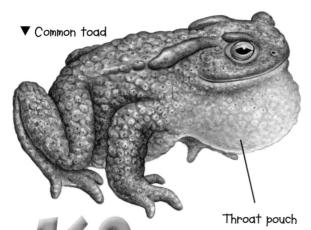

Throat pouch

140

Many frogs and toads also puff themselves up. Toads can inflate their bodies to look more frightening. Frogs and toads can puff out their throat pouches. This makes their croaking love calls to mates, and "back off" calls to enemies, much louder.

141

A frilled lizard in full display is an amazing sight. This lizard has a large flap of neck skin that normally lies flat. When faced by a predator, it spreads this out to form a huge, stiff ruff that makes it look bigger and scarier!

▲ The frilled lizard lives in Australia and New Guinea. Its frill can be up to 10in (25cm) across, almost half the length of its body!

I DON'T BELIEVE IT!

Some male Agamid lizards appear to impress females with a little body building. They can be seen perched on top of rocks, doing push-ups and bobbing their heads up and down.

142

Male monitor lizards have their own wrestling competitions! At the beginning of the mating season they compete to try to win the females. They rear up on their hind legs and wrestle until the weaker animal gives up.

Sensitive creatures

143 Reptiles and amphibians find out about the world by using their senses such as sight, smell, and touch. Some animals have lost senses that they don't need. Wormlike amphibians called caecilians, for example, spend their whole lives underground, so they don't have any use for eyes. However, some animals have developed new senses which are very unusual!

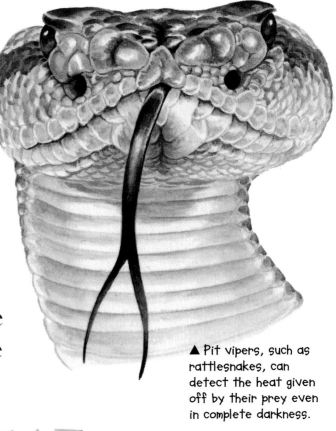

▲ Pit vipers, such as rattlesnakes, can detect the heat given off by their prey even in complete darkness.

144 Frogs and toads have developed new senses. They have something called Jacobson's organ in the roofs of their mouths. This helps them to "taste" and "smell" the outside world. Jacobson's organ is also found in snakes and some lizards.

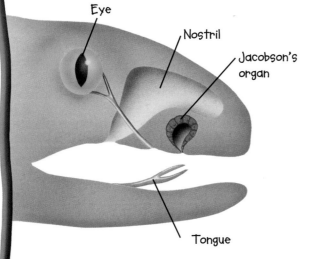

Eye

Nostril

Jacobson's organ

Tongue

145 Snakes have poor hearing and eyesight but they make up for it in other ways. They can find prey by picking up its vibrations traveling through the ground. Some snakes have pits in their faces that detect heat given off by prey. In contrast to snakes, frogs, and toads have large and well-developed eardrums and very good hearing.

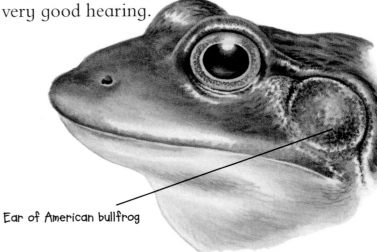

Ear of American bullfrog

▼ The Fijian banded iguana lives on the islands of Fiji and Tonga in the Pacific Ocean.

146 Geckos and iguanas have large eyes and very good eyesight.
They are a type of lizard that can't blink. Instead of having movable eyelids like humans, they have fixed, transparent "glasses" over their eyes. Most lizards have very good sight—they need it to hunt down their small and fast insect prey.

I DON'T BELIEVE IT!

One African gecko has such thin skin over its ear openings that if you were to look at it with the openings lined up precisely, you would see light coming through from the other side of its head!

Geckos lick their eyes to keep them clean.

Large eyes give the gecko excellent vision.

▲ This is a web-footed gecko from southwest Africa. It lives in the Namib Desert, where it hardly ever rains. To get the water it needs, it licks dew from the stones, and also licks its own eyes!

Expert hunters

147 All amphibians and most reptiles are meat eaters. They use a huge variety of ways to do their tracking, trapping and hunting.

▲ Crocodiles and alligators are specially adapted to be able to lie in the water with only their eyes and nostrils showing. They wait in shallow water for animals to come and drink, then leap up and drag their prey under the water.

Long, sticky tongue to catch insects

148 The chameleon lizard is a highly efficient hunting machine. Each eye moves separately from the other, so the chameleon can look in two directions at once. When a tasty fly buzzes past, the chameleon shoots out an incredibly long tongue in a fraction of a second and draws the fly back into its mouth.

149 Salamanders creep up slowly before striking. They move gradually toward prey and then suddenly seize it with their tongue or between their sharp teeth.

150
Crocodiles and snakes can open their fierce jaws extra wide to eat huge dinners! A snake can separate its jaw bones to eat huge eggs or to gulp down animals much larger than its head. A large snake can swallow pigs and deer—whole!

Skull

A snake's lower jaws can work separately. First one side pulls, and then the other, to draw the prey into the throat.

The snake's lower jaws can also detach from its skull to eat large prey.

BE A CHAMELEON!
Like a chameleon, you need two eyes to judge distances easily. Here's an experiment to prove it!
Close one eye. Hold a finger out in front of you, and with one eye open, try to touch this fingertip with the other. It's not as easy as it looks! Now open both eyes and you'll find it a lot easier!
Two eyes give your brain two slightly different angles to look at the object, so it is easier to tell how far away it is!

151
A snake has to swallow things whole. This is because it has no large back teeth for crushing prey and can't chew.

The chameleon's eyes can move independently to locate a tasty insect!

▶ Once the chameleon has spotted a tasty insect with one eye, it first has to swivel its other eye to look at the prey. This is because it is easier to judge distances with two eyes.

Fliers and leapers

152 Some reptiles and amphibians can take to the air—if only for a few seconds. This helps animals to travel farther, escape predators, or swoop down on passing prey before it gets away.

▶ Flying snakes can glide between branches of trees to hunt lizards and frogs.

▶ The flying dragon lizard has taken things a step further than the geckos. Its "wings" are skin stretched out over ribs that can even fold back when they are not in use!

153 Gliding snakes fly by making their bodies into parachutes. They do this by raising their rib cages so that their bodies flatten out like a ribbon.

154 Even certain kinds of snake can glide. The flying snake lives in the tropical forests of southern Asia. It can jump between branches or glide through the air in "S" movements.

◀ Flying geckos' skills are all important for food. Either they are trying to catch food, or they are trying to avoid becoming food for something else!

155 Flying geckos form another group of natural parachutes. They have webbed feet and folds of skin along their legs, tail and sides, which together form the perfect gliding machine.

156 Some frogs can glide.

Deep in the steamy rain forests of southeast Asia and South America, tree frogs flit from tree to tree. Some can glide as far as 40ft (12m), clinging to their landing spot with suckers on their feet.

157 Frogs and toads use their powerful hind legs for hopping or jumping.

The greatest frog leaper comes from Africa. Known as the rocket frog, it has been known to jump up to 14ft (4.2m).

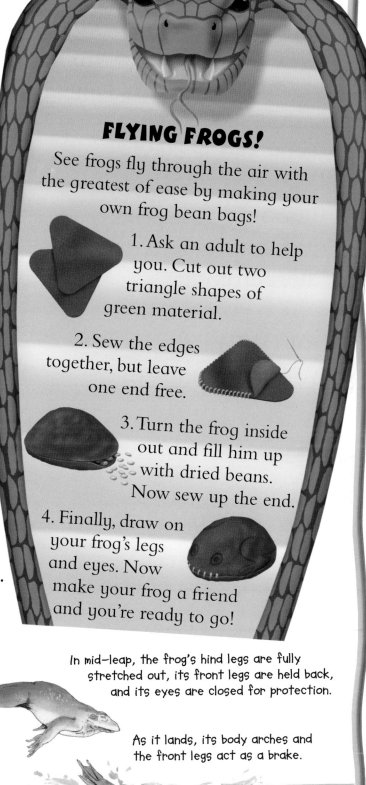

FLYING FROGS!

See frogs fly through the air with the greatest of ease by making your own frog bean bags!

1. Ask an adult to help you. Cut out two triangle shapes of green material.

2. Sew the edges together, but leave one end free.

3. Turn the frog inside out and fill him up with dried beans. Now sew up the end.

4. Finally, draw on your frog's legs and eyes. Now make your frog a friend and you're ready to go!

The powerful muscles in the frog's hind legs push off.

In mid-leap, the frog's hind legs are fully stretched out, its front legs are held back, and its eyes are closed for protection.

As it lands, its body arches and the front legs act as a brake.

Slitherers and crawlers

158 Most reptiles, and some amphibians, spend much of their time creeping, crawling, and slithering along the ground. In fact, scientists call the study of reptiles and amphibians "herpetology," which comes from a Greek word meaning "to creep or crawl."

▲ The sidewinding viper lives in the deserts of the United States. It moves by pushing its body sideways against the sand which leaves a series of marks shaped like sideways letter "J"s.

159 A snake's skin does not grow with its body. This means that it has to shed its skin to grow bigger. This grass snake from Europe is slithering right out of its old skin!

160 Some frogs and toads also shed their skin. The European toad sheds its skin several times during the summer—and then eats it! This recycles the goodness in the toad's skin.

161
Snakes and caecilians have no legs. Caecilians are amphibians that look like worms or snakes. They move around by slithering about gracefully. Small snakes have about 180 vertebrae, or backbones. Large snakes can have 400! They have very strong muscles to enable them to move, so their backbones are also extra strong to stand up to the strain.

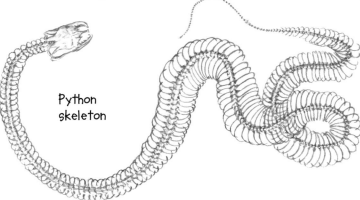

Python skeleton

SLITHER AND SLIDE!

Make your own slithery snake. First you need to collect as many spools of thread as you can, and paint them lots of bright colors. Next, cut a forked tongue and snake eyes out of some paper and stick them onto one of the spools to make a head. Now, just thread your spools onto a piece of string. Make sure you don't put the head in the middle!

◄ This South American caecilian can reach 14in (35cm) long! It feeds mostly on earthworms.

162
A ground snake has special scales on the underside of its body. These help it to grip the ground as it moves along.

▼ The scales on the underside of some snakes overlap. This helps it moves smoothly, and also provides the snake with more grip.

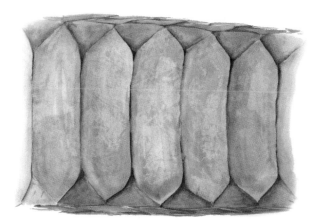

163
Some reptiles and amphibians slither below the surface. In hot, deserty places, snakes burrow down into the sand to escape the sun's fierce heat. Caecilians' heads are perfectly shaped to burrow through the mud of their tropical homelands, searching for worms.

Fast and slow

164 The reptile and amphibian worlds contain their fair share of fast and slow movers. But the slowpokes are not necessarily at a disadvantage. A predator may be able to seize the slow-moving tortoise, but it certainly can't bite through its armor-plated shell!

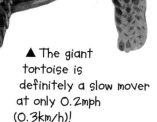

▶ The sidewinder snake moves at up to 2.5mph (4km/h) over the shifting sands of its desert home.

165 Tortoises never take life in a hurry and are among the slowest animals on Earth. The top speed for a giant tortoise is 17ft (5m) per minute! These giant tortoises live on the Galapagos islands in the Pacific Ocean, and nowhere else in the world.

▲ The giant tortoise is definitely a slow mover at only 0.2mph (0.3km/h)!

166 Chameleons are also slow movers. They move slowly through the trees, barely noticeable as they hunt for insects.

▲ The chameleon is a very slow mover, until its tongue pops out to trap a passing fly!

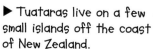

▶ Tuataras live on a few small islands off the coast of New Zealand.

167 Some lizards can trot off at high speed by "standing up." Water dragon lizards from Asia can simply rear up onto their hind legs to make a dash for it—much faster than moving on four legs.

◀ The speedy crested water dragon can run on its back legs to escape predators.

FLAT RACE

Get together a group of friends and hold your own animal race day. Each of you cuts a flat animal shape—a frog or tortoise, say—out of paper or very light card. If you wish, add details with coloured pencils or pens. Now race your animals along the ground to the finishing line by flapping a newspaper or a magazine behind them.

168 One of the world's slowest animals is the lizardlike tuatara. When resting, it breathes just once an hour, and may still be growing when it is 60 years old! Their slow lifestyle in part means that they can live to be 120 years old! The tuatara is sometimes called a "living fossil." This is because it is the only living species of a group of animals that died out millions of years ago. No one knows why only the tuatara survives.

169 Racerunner lizards, from North and South America, are true to their name. The six-lined racerunner is the fastest recorded reptile on land. In 1941 in South Carolina, it was recorded reaching an amazing speed of 19mph (29km/h)!

◀ The six-lined racerunner from America is the fastest reptile on land.

Champion swimmers

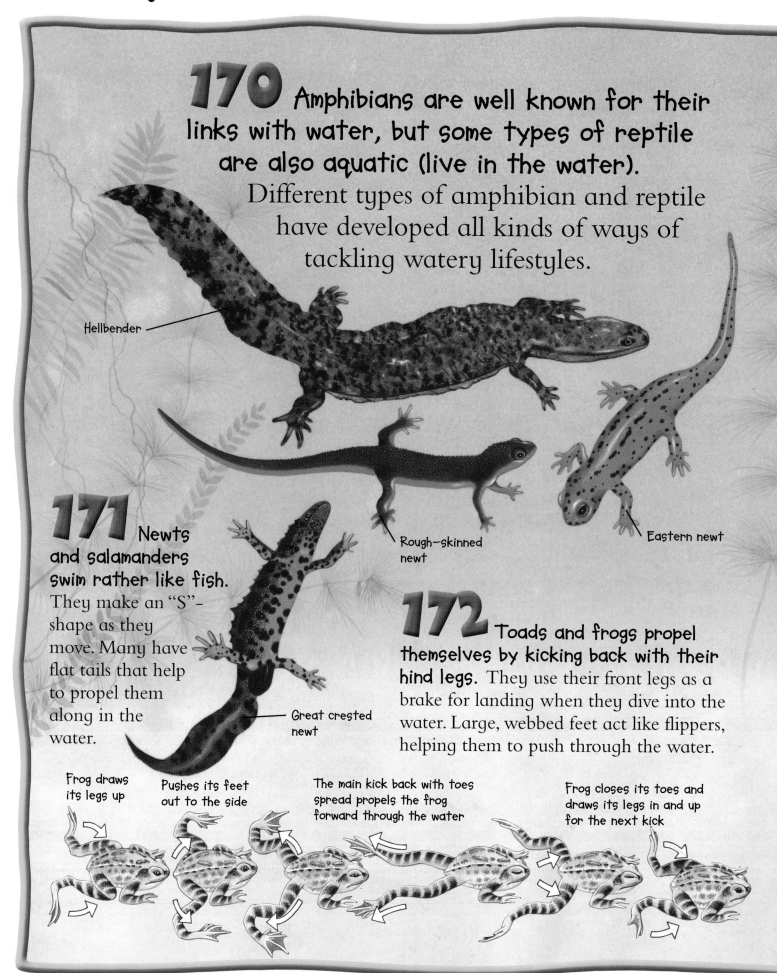

170 Amphibians are well known for their links with water, but some types of reptile are also aquatic (live in the water). Different types of amphibian and reptile have developed all kinds of ways of tackling watery lifestyles.

Hellbender

Rough-skinned newt

Eastern newt

171 Newts and salamanders swim rather like fish. They make an "S"-shape as they move. Many have flat tails that help to propel them along in the water.

Great crested newt

172 Toads and frogs propel themselves by kicking back with their hind legs. They use their front legs as a brake for landing when they dive into the water. Large, webbed feet act like flippers, helping them to push through the water.

Frog draws its legs up

Pushes its feet out to the side

The main kick back with toes spread propels the frog forward through the water

Frog closes its toes and draws its legs in and up for the next kick

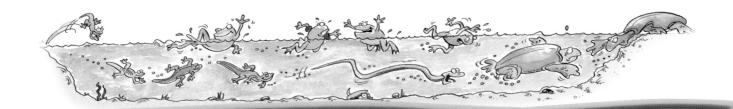

173 A swimming snake may seem unlikely, but most snakes are experts in the water.

Sea snakes can stay submerged for five hours and move rapidly through the depths. European grass snakes are also good swimmers. They have to be because they eat animals that live around water.

I DON'T BELIEVE IT!

Floating sea snakes often find themselves surrounded by fish who gather at the snake's tail to avoid being eaten. When the snake wants a snack, it swims backwards, fooling the unlucky fish into thinking its head is its tail!

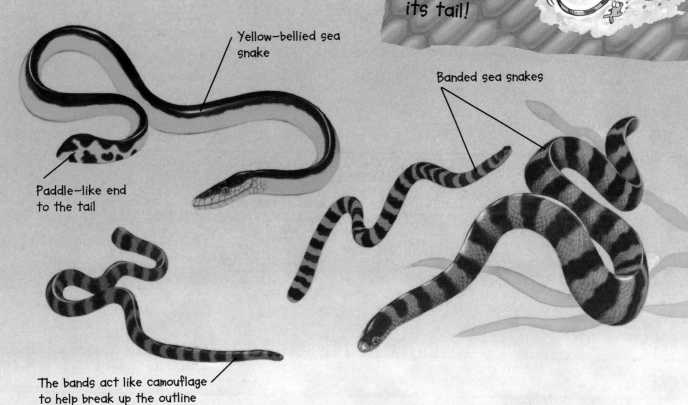

Yellow-bellied sea snake
Paddle-like end to the tail
Banded sea snakes
The bands act like camouflage to help break up the outline of the snake's body.

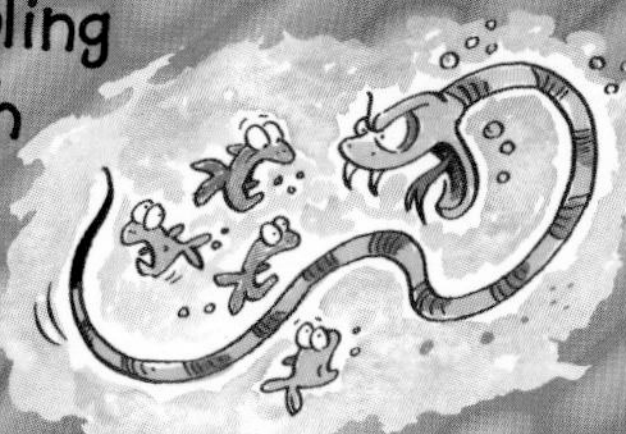

174 Sea turtles have light, flat shells so they can move along more easily under water.

Some have managed speeds of 19mph (29km/h). Their flipper-like front legs "fly" through the water. Their back legs form mini-rudders for steering.

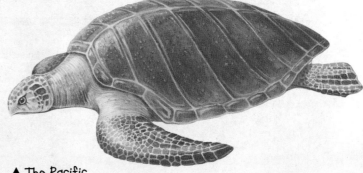

▲ The Pacific ridley turtle lives in warm waters all around the world. It feeds on shrimp, jellyfish, crabs, sea snails, and fish.

Nature's tanks

175 Tortoises and turtles are like armored tanks—slow but very well protected by their shells. Tortoises live on land and eat mainly plants. Some turtles are flesh eaters that live in the salty sea. Other turtles, some of which are called terrapins, live in freshwater lakes and rivers.

176 When danger threatens, tortoises can quickly retreat into their mobile homes. They simply draw their head, tail, and legs into their shell.

177

Tortoises and turtles are ancient members of the reptile world. They are the oldest living reptiles, and might have been around with the very first dinosaurs, about 200 million years ago. They also live longer than almost any other animal—some for up to 150 years!

I DON'T BELIEVE IT!

A giant tortoise can support a one ton weight. This means that it could be used as a jack, to lift up a car—but far kinder and easier simply to go to a local garage!

▶ The matamata turtle lives only in South America. It is one of the strangest of all turtles, as its head is almost flat, and is shaped like a triangle. It lies on the bottom of rivers and eats fish that swim past.

▶ The Indian softshell turtle is also called the narrow-headed turtle because of its long, thin head. It is a very fast swimmer and feeds on fish.

◀ The leopard tortoise lives in Africa. It was named after the yellow and black leopard-style markings of its shell.

▶ The hawksbill turtle lives in warm seas all around the world. Its beautiful shell means that it has been hunted so much that it has nearly died out. It is now protected in many countries.

178

Some sea turtles are among nature's greatest travelers. The green turtle migrates 1,200mi (2,000km) from its feeding grounds off the coast of Brazil to breeding sites such as Ascension Island, in the South Atlantic.

Green turtle

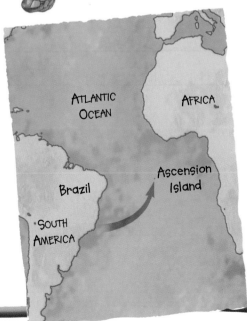

ATLANTIC OCEAN

AFRICA

Brazil

SOUTH AMERICA

Ascension Island

Dangerous enemies

179 Animals such as crocodiles, some snakes, and snapping turtles make nasty enemies. Snakes are famed for poisoning or strangling prey before gobbling it down. Other reptiles have also found ways of making themselves especially dangerous.

▲ This rat snake has caught its prey, a small meadow vole. It then loops its body around the vole, and stops it breathing by holding it very tight.

▼ The alligator snapping turtle lives in deep rivers and lakes. To hunt, it opens its mouth so fish can see what looks like a worm, but is actually just bait. When fish come to investigate, the turtle snaps them up!

Bait

191
A young blue-tongued skink uses color as a delay tactic.
The lizard simply flashes its bright blue tongue and mouth lining at enemies. The startled predator lets its prey slip away.

192
The Australian shingleback lizard has a tail shaped like a head. By the time a confused predator has worked this one out, the lizard has made its getaway.

▲ The shingleback lizard, which end is its head?

193
Crocodiles can walk on their tails! If they are being threatened they can move so fast they almost leap out of the water! This is called "tail-walking."

Close relatives

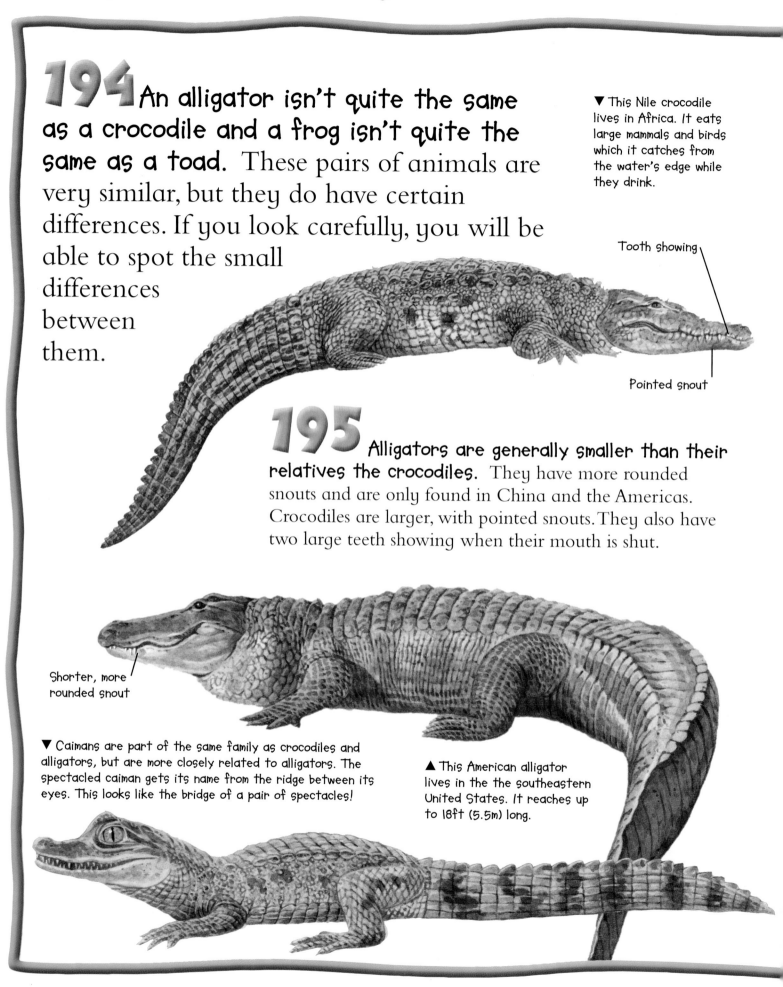

194 An alligator isn't quite the same as a crocodile and a frog isn't quite the same as a toad. These pairs of animals are very similar, but they do have certain differences. If you look carefully, you will be able to spot the small differences between them.

▼ This Nile crocodile lives in Africa. It eats large mammals and birds which it catches from the water's edge while they drink.

Tooth showing

Pointed snout

195 Alligators are generally smaller than their relatives the crocodiles. They have more rounded snouts and are only found in China and the Americas. Crocodiles are larger, with pointed snouts. They also have two large teeth showing when their mouth is shut.

Shorter, more rounded snout

▼ Caimans are part of the same family as crocodiles and alligators, but are more closely related to alligators. The spectacled caiman gets its name from the ridge between its eyes. This looks like the bridge of a pair of spectacles!

▲ This American alligator lives in the the southeastern United States. It reaches up to 18ft (5.5m) long.

196
Crocodiles and alligators also have some other, very special, and rather surprising close relatives. They are the closest living relatives of the dinosaurs! The dinosaurs were also reptiles that lived millions of years ago. No one knows why, but all of the dinosaurs died out about 65 million years ago. For some reason, certain other animals that were also around at this time, like crocodiles, alligators, and also turtles, survived.

Short skull

Long legs will become shorter as Protosuchus evolves.

▼ Protosuchus is one of the ancestors of the crocodiles. It lived about 225 million years ago during the Triassic Period. It had quite a short skull, which shows that it had not yet adapted fully for eating fish. It probably ate small lizards.

197
Most frogs live in damp places. Their bodies suit this environment. They tend to have strongly webbed feet, long back legs, and smooth skin.

Tree frog

198
Most toads spend their time on dry land. They don't have strongly webbed feet and their skin is warty and dry. Toads are normally shorter and squatter than frogs, with shorter legs.

Giant toad

Scary monsters

199 Early explorers told amazing tales of dragons living in faraway lands that few people had visited. It may be that these explorers had somehow seen flying lizards or giant monitor lizards such as the Komodo dragon. Perhaps this is how myths about dragons started.

Komodo dragon

Gould's monitor lizard

Flying dragon

Nile monitor lizard

QUIZ

1. What is usually larger, a crocodile or an alligator?
2. Alligators have two large teeth showing when their mouth is shut. True or false?
3. What is the largest monitor lizard alive today?

1. Crocodiles are usually larger. 2. False, crocodiles have their teeth showing. 3. The Komodo dragon

200 Monitor lizards are long-necked reptiles from **Australia, Asia, and Africa.** The rare Komodo dragon is a monitor from a group of islands in Indonesia, southeast Asia. It is the largest, fiercest lizard alive, 13ft (4m) long, weighing 310lb (140kg), and eating small deer and wild boar.

Insects or spiders?

201 Insects are among the most numerous and widespread animals on Earth. They form the largest of all animal groups, with millions of different kinds, or species, that live almost everywhere in the world. But not all creepy-crawlies are insects. Spiders belong to a different group called arachnids, and millipedes are in yet another group!

Spiny green nymph

Tortoiseshell butterfly

Cricket

Tarantula

Pink-winged stick insect

Dragonfly

Cockchafer beetle

Stag beetle

Honeybee

Honeybee

Millipede

Giant longhorn beetle

Tarantula hawk wasp

Wood ants

93

Insects everywhere!

202 The housefly is one of the most common, widespread and annoying insects. There are many other members of the fly group, such as bluebottles, horseflies, craneflies ("daddy-longlegs"), and fruitflies. They all have two wings. Other kinds of insects have four wings.

Housefly

203 The ladybug is a noticeable insect with its bright red or yellow body and black spots. It is a member of the beetle group. This is the biggest of all insect groups, with more than half a million kinds, from massive goliath and rhinoceros beetles to tiny flea beetles and weevil beetles.

204 The white butterfly is not usually welcome in the garden. Their young, known as caterpillars, eat the leaves of the gardener's precious flowers and vegetables. There are thousands of kinds of butterflies and even more kinds of their night-time cousins, the moths.

White butterfly feeding from a flower

205
The earwig is a familiar insect in the park, garden, garage, shed—and sometimes house. Despite their name, earwigs do not crawl into ears or hide in wigs. But they do like dark, damp corners. Earwigs form one of the smaller insect groups, with only 1,300 different kinds.

◀ This earwig is being threatened, so it raises its tail to try to make itself look bigger.

206
Ants are fine in the garden or wood, but are pests in the house. Ants, bees and wasps make up a large insect group with some 300,000 different kinds. Most can sting, although many are too small to hurt people. However, some, such as bulldog ants, have a painful bite.

SPOT THE INSECTS!

Have you seen any insects so far today? Maybe a fly whizzing around the house or a butterfly flitting among the flowers? On a warm summer's day you probably see many kinds of insects. On a cold winter's day there are fewer insects around. Most are hiding away or have not yet hatched out of their eggs.

◀ Insects like these white butterflies do not have a bony skeleton inside their bodies like we do. Their bodies are covered by a series of horny plates called an exoskeleton.

207
The scorpionfly has a nasty looking sting on a long curved tail. It flies or crawls in bushes and weeds during summer. Only the male scorpionfly has the red tail. It looks like the sting of a scorpion but is harmless.

How insects grow

208 **All insects begin life inside an egg.** The female insect usually lays her eggs in an out-of-the-way place, such as under a stone, leaf or bark, or in the soil.

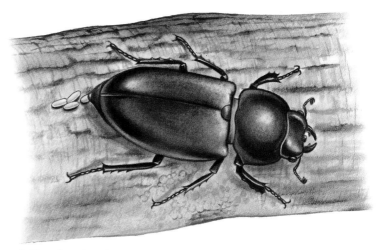

▲ This female stag beetle does not have huge jaws for fighting like the male does. However, her bite is much more powerful than the male's.

209 **When some types of insects hatch, they do not look like their parents.** A young beetle, butterfly, or fly is very different from a grown-up beetle, butterfly, or fly. It is soft-bodied, wriggly, and wormlike. This young stage is called a larva. There are different names for various kinds of larvae. A fly larva is called a maggot, a beetle larva is a grub, and a butterfly larva is a caterpillar.

210 **A female insect mates with a male insect before she can lay her eggs.** The female and male come together to check that they are both the same kind of insect, and they are both healthy and ready to mate. This is known as courtship. Butterflies often flit through the air together in a "courtship dance."

▶ Large caterpillars always eat into the center of the leaf from the edge. Caterpillars grasp the leaf with their legs, while their specially developed front jaws chew at their food.

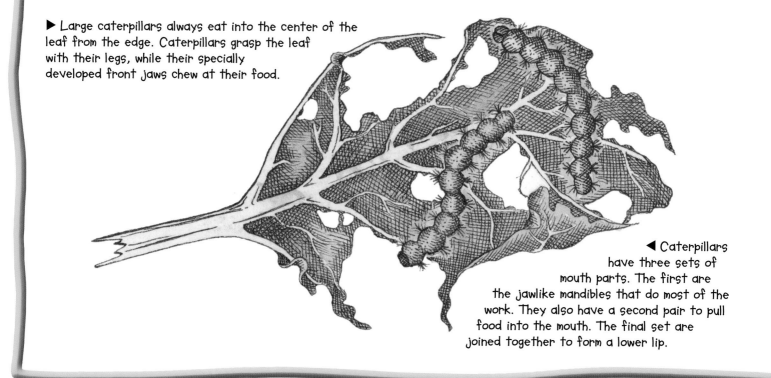

◀ Caterpillars have three sets of mouth parts. The first are the jawlike mandibles that do most of the work. They also have a second pair to pull food into the mouth. The final set are joined together to form a lower lip.

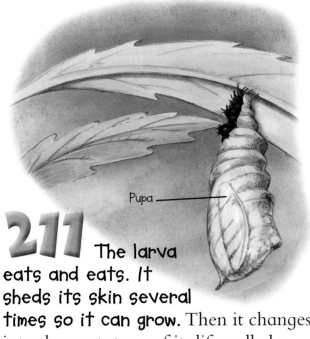

Pupa

211 The larva eats and eats. It sheds its skin several times so it can grow. Then it changes into the next stage of its life, called a pupa. The pupa has a hard outer case which stays still and inactive. But, inside, the larva is changing body shape again. This change of shape is known as metamorphosis.

▲ This peacock butterfly has just emerged from its pupal case and is stretching its wings for the first time.

212 At last the pupa's case splits open and the adult insect crawls out. Its body, legs, and wings spread out and harden. Now the insect is ready to find food and also find a mate.

213 Some kinds of insects change shape less as they grow up. When a young cricket or grasshopper hatches from its egg, it looks similar to its parents. However, it may not have any wings yet.

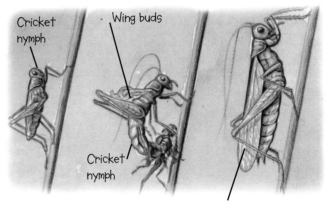

Cricket nymph
Wing buds
Cricket nymph
Mature adult

214 The young cricket eats and eats, and sheds or molts its skin several times as it grows. Each time it looks more like its parent. A young insect which resembles the fully grown adult like this is called a nymph. At the last moult it becomes a fully formed adult, ready to feed and breed.

I DON'T BELIEVE IT!

Courtship is a dangerous time for the hunting insect called the praying mantis. The female is much bigger than the male, and as soon as they have mated, she may eat him!

Air aces

215 Most kinds of insects have two pairs of wings and use them to fly from place to place. One of the strongest fliers is the apollo butterfly of Europe and Asia. It flaps high over hills and mountains, then rests on a rock or flower in the sunshine.

216 A fast and fierce flying hunter is the dragonfly. Its huge eyes spot tiny prey such as midges and mayflies. The dragonfly dashes through the air, turns in a flash, grabs the victim in its legs and whirs back to a perch to eat its meal.

217 Some insects flash bright lights as they fly. The firefly is not a fly but a type of beetle. Male fireflies "dance" in the air at dusk, the rear parts of their bodies glowing on and off about once each second. Female fireflies stay on twigs and leaves and glow in reply as part of their courtship.

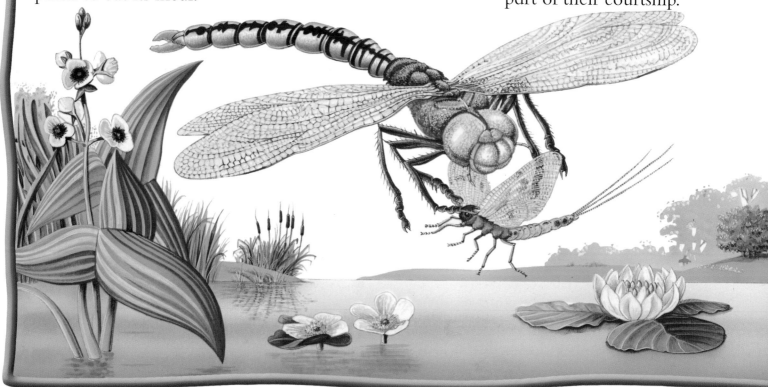

218

The smallest fliers include gnats, midges, and mosquitoes. These are all true flies, with one pair of wings. Some are almost too tiny for us to see. Certain types bite animals and people, sucking their blood as food.

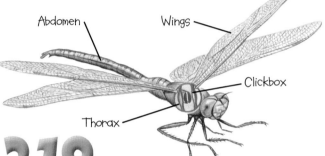

Abdomen

Wings

Thorax

Clickbox

219

An insect's wings are attached to the middle part of its body, the thorax. This is like a box with strong walls, called a clickbox. Muscles inside the thorax pull to make the walls click in and out, which makes the wings flick up and down. A large butterfly flaps its wings once or twice each second. Some tiny flies flap almost 1,000 times each second.

MAKE A FLAPPING FLY

You will need

stiff cardboard   round-ended scissors
tissue paper   tape

1. Ask an adult for help. Carefully cut the cardboard to make a box with two open ends as shown.

2. Use strips of stiff card to make struts for the wings and attach these to the side walls of the box. Make the rest of the wings from tissue paper.

3. Hold the box as shown. Move the top and bottom walls in, then out. This bends the side walls and makes the wings flap, just like a real insect.

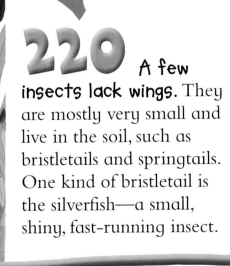

220

A few insects lack wings. They are mostly very small and live in the soil, such as bristletails and springtails. One kind of bristletail is the silverfish—a small, shiny, fast-running insect.

Champion leapers

221 Many insects move around mainly by hopping and jumping, rather than flying. They have long, strong legs and can leap great distances, especially to avoid enemies and escape from danger. Grasshoppers are up to 6in (15cm) long. Most have very long back legs and some types can jump more than 10ft (3m). Often the grasshopper opens its brightly patterned wings briefly as it leaps, giving a flash of color.

222 The best leaping insects, for their body size, are fleas. They are mostly small, just 0.1in (2-3mm) long. But they can jump over a foot (30cm), which is more than 100 times their body size. Fleas suck blood or body fluids from warm-blooded animals, mainly mammals but also birds.

Grasshopper

223 An insect leaper that jumps with its tail, rather than its legs, is the springtail. Springtails are tiny, 0.1in (2–3mm) long, or as long as this letter "l"! Some types can leap more than 2in (5cm).

224 The click beetle, or skipjack, is another insect leaper. This beetle is about 0.5in (12mm) long. When in danger it falls on its back and pretends to be dead. But it slowly arches its body and then straightens with a jerk and a "click." It can flick itself about 10in (25cm) into the air!

QUIZ

Which type of insect can jump farthest?

Put these insects in order of how far they can leap.
Grasshopper   Flea
Click beetle   Springtail

Now put them in order of how far they can leap compared to their sizes.

The grasshopper can jump farthest, then the flea, click beetle and finally the springtail. The flea can jump farthest for its size, then the click beetle, the springtail and finally the grasshopper.

Click beetle

▲ The "tail" rear part of the springtail's body, is shaped like a V or Y. It is usually folded under the body and held in place by a triggerlike flap. When the flap moves aside the "tail" flicks down and flips the insect through the air.

Super sprinters

225 Some insects rarely fly or leap. They prefer to run, and run, and run… all day, and even all night too. Among the champion insect runners are cockroaches. They are tough and adaptable, with about 3,600 different kinds. A few burrow in soil or live in caves. But most scurry speedily across the ground on their long legs. They have low, flat bodies and can dart into narrow crevices, under logs and stones and bricks, and into cupboards, furniture —and beds!

226 The green tiger beetle is an active hunter that races over open ground almost too fast for our eyes to follow. It chases smaller creatures such as ants, woodlice, worms, and little spiders. It has huge jaws for its size and soon rips apart any victim.

Green tiger beetle

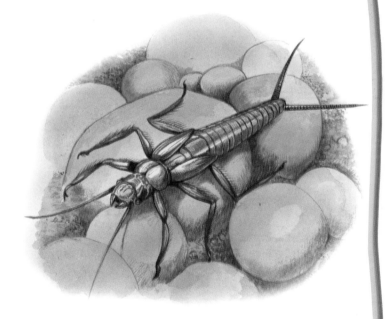

▲ The stonefly nymph, the larva of the stonefly, runs around on the bed of its river home searching for food.

227 One of the busiest insect walkers is the devil's coach horse, a type of beetle with a long body that resembles an earwig. It belongs to the group known as rove beetles which walk huge distances to find food. The devil's coach horse has powerful mouthparts and tears apart dead and dying small caterpillars, grubs, and worms.

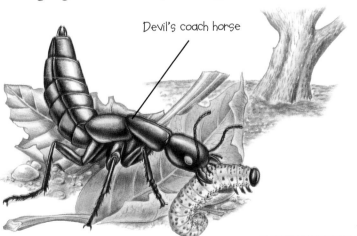

Devil's coach horse

228 Some insects walk not only across the ground, but also up smooth, shiny surfaces such as walls and even windows. They have wide feet with many tiny hooks or sticky pads. These grip bumps that are too small to see in substances such as glossy, wet leaves or window glass.

Stunning swimmers

229 Many kinds of insects live underwater in ponds, streams, rivers, and lakes. Some walk about on the bottom, such as the young forms or nymphs of dragonflies and damselflies. Others swim strongly using their legs as oars to row through the water. The great diving beetle hunts small water creatures such as tadpoles and baby fish. It can give a person a painful bite in self-defense.

230 Some water insects, such as the great silver water beetle, breathe air. So they must come to the surface for fresh supplies. The hairs on the beetle's body trap tiny bubbles of air for breathing below.

Gills

Mayfly nymphs

Damselfly nymph

▲ The mantis stays perfectly still, camouflaged by its body coloring which blends in with the leaf or flower where it waits. When a victim comes near—SNAP!

QUIZ

1. What does a wasp use its jaws for?
2. What is the lacewing's favorite food?
3. Finish the name of this insect predator: the preying...?
4. The larva of which animal digs a dangerous trap for ants?

1. Digging and cutting up food. 2. Aphids such as greenfly and blackfly. 3. Mantis. 4. Ant lion

241

Ant lions are insects that resemble lacewings. The ant lion larva lives in sand or loose soil. It digs a small pit and then hides below the surface at the bottom. Small creatures wander past, slip and slide into the pit, and the antlion larva grasps them with its fanglike mouthparts.

▲ The ant lion larva sits in a small hole at the bottom of its pit, waiting for an unwary ant.

Veggie bugs

242 About 9 out of 10 kinds of insects eat some kind of plant food. Many feed on soft, rich, nutritious substances. These include the sap in stems and leaves, the mineral-rich liquid in roots, the nectar in flowers, and the soft flesh of squashy fruits and berries.

243 Solid wood may not seem very tasty, but many kinds of insects eat it. They usually consume the wood when they are larvae or grubs, making tunnels as they eat their way through trees, logs, and timber structures such as bridges, fences, houses, and furniture.

Elm beetle

Elm beetle larva

Furniture beetle

Woodworm (Furniture beetle larva)

Flowerbug

Mealybug

244 Insects even feed on old bits of damp and crumbling wood, dying trees, brown and decaying leaves, and smelly, rotting fruit. They are not fussy eaters! This is nature's way of recycling goodness and nutrients in old plant parts, and returning them to the soil so new trees and other plants can grow.

Capsid bug

Shield bug

Fruitfly

Lacebug

I DON'T BELIEVE IT!

Animal droppings are delicious and tasty to many kinds of insects. Various types of beetles lay their eggs in warm and steamy piles of droppings. The larvae soon hatch out and eat the dung!

Unwelcome guests

245 Insects may be small, but some have very powerful bites and poison stings. A few can even kill people. The hornet is a large type of wasp and has a jagged sting on its rear end. It does not use this often. But when it does, it can cause great pain to a person and easily deal death to a small animal.

◄ Hornet

Hornet's sting

▶ Bee

— Bee's sting

246 Like wasps, bees also have a poison sting at their rear end. After the wasp jabs its sting into an enemy, the sting comes out and the wasp can fly away and use it again. It's like stabbing with a dagger. But when a bee does this, the sting has a hook or barb and stays in the enemy. As the bee flies away the rear part of its body tears off and the bee soon dies.

247 **Bird-eating spiders really do eat birds!** They inject their venom, or poison, into their prey with large fangs. As well as birds, they eat lizards, frogs, and even small poisonous snakes. It can take as much as a day to suck the body of a snake dry!

▲ Bombardier beetle

248 **The bombardier beetle squirts out a spray of horrible liquid from its rear end, almost like a small spray gun!** This startles and stings the attacker and gives the small beetle time to escape.

QUIZ

Do you know which of these insects is most poisonous or harmful to a person, and which is the least dangerous?

Hornet   Earwig
Grasshopper   Bulldog ant
Bee   Moth

From the most to least dangerous: hornet (powerful sting), bee (less powerful sting), bulldog ant (stinging bite), moth (a few types have stinging hairs on the body), grasshopper (might scratch when it kicks) earwig (pretty much totally harmless)

249 **One army ant can give a small bite.** But 10,000 are much more dangerous. These ants are mainly from South America and do not stay in a nest like other ants. They crawl in long lines through the forest, eating whatever they can bite, sting and overpower, from other insects to large spiders, lizards, and birds. They rest at night before marching on the next day.

Towns for termites

250 Some insects live together in huge groups called colonies—which are like insect cities. There are four main types of insects which form colonies. One is the termites. The other three are all in the same insect subgroup and are bees, wasps, and ants.

251 Some kinds of termites make their nests inside a huge pile of mud and earth called a termite mound. The termites build the mound from wet mud which goes hard in the hot sun. The main part of the nest is below ground level. It has hundreds of tunnels and chambers where the termites live, feed and breed.

▶ Termites mounds are incredibly complex constructions. They can reach 33ft (10m) tall, and have air-conditioning shafts built into them. These enable the termites to control the temperature of the nest to within 1 degree.

252 Inside the termite "city" there are various groups of termites, with different kinds of work to do. Some tunnel into the soil and collect food such as tiny bits of plants. Others guard the entrance to the nest and bite any animals which try to enter. Some look after the eggs and young forms, or larvae.

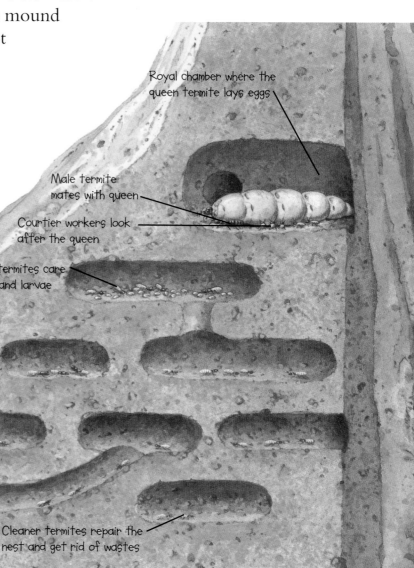

Royal chamber where the queen termite lays eggs

Male termite mates with queen

Courtier workers look after the queen

Nursery termites care for eggs and larvae

Forager termites collect food

Cleaner termites repair the nest and get rid of wastes

255

A wasp nest will have about 2,000 wasps in it, but these are small builders in the insect world! A termite colony may have more than 5,000,000 inhabitants! Other insect colonies are smaller, although most have a similar setup with one queen and various kinds of workers. Wood ants form nests of up to 300,000 and honeybees around 50,000. Some bumblebees live in colonies numbering only 10 or 20.

253

The queen termite is up to 100 times bigger than the workers. She is the only one in the nest who lays eggs—thousands every day.

254

Leaf-cutter ants grow their own food! They harvest leaves which they use at the nest to grow fungus, which they eat.

I DON'T BELIEVE IT!

Ants get milk from green cows! The "cows" are really aphids. Ants look after the aphids. In return, when an ant strokes an aphid, the aphid oozes a drop of "milk," a sugary liquid called honeydew, which the ant sips to get energy.

▲ When the sections of leaf are taken back to the nest, other ants cut them up into smaller sections. They are then used in gardens to grow the ants' food.

Where am I?

256 Insects have some of the best types of camouflage in the whole world of animals. Camouflage is when a living thing is colored and patterned to blend in with its surroundings, so it is difficult to notice. This makes it hard for predators to see or find it. Or, if the insect is a predator itself, camouflage helps it to creep up unnoticed on prey.

258 The thornbug has a hard, pointed body casing. It sits absolutely still on a twig pretending to be a real thorn. It moves around and feeds at night.

257 Stick and leaf insects look exactly like sticks and leaves. The body and legs of a stick insect are long and twiglike. The body of a leaf insect has wide, flat parts which are colored to resemble leaves. Both these types of insects eat plants. When the wind blows they rock and sway in the breeze, just like the real twigs and leaves around them.

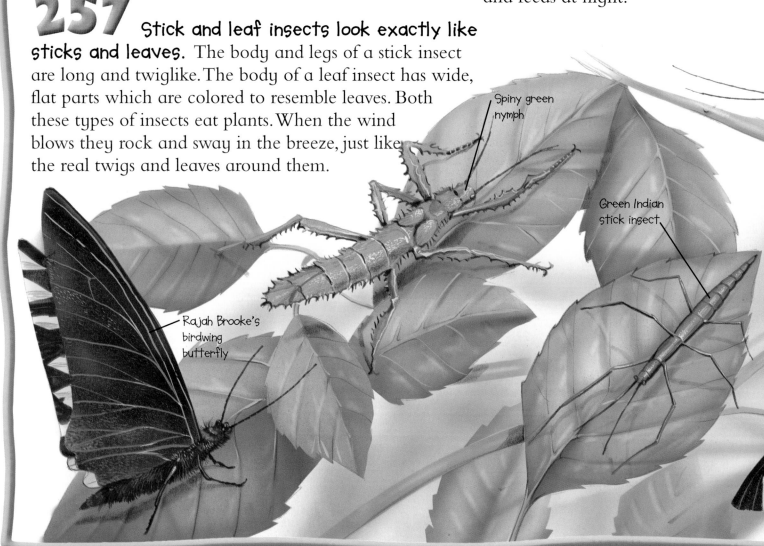

Spiny green nymph

Green Indian stick insect

Rajah Brooke's birdwing butterfly

Garden tiger moth

Deathwatch beetle

Cockchafer

Click beetle

Screech beetle

274 **Like most other crickets, the male katydid chirps by rubbing together his wings.** The bases of the wings near the body have hard, ridged strips like rows of pegs. These click past each other to make the chirping sound.

275 **The male mole cricket chirps in a similar way.** But he also sits at the entrance to his burrow in the soil. (Mole crickets get their name from the way they tunnel through soil, like real moles.) The burrow entrance is specially shaped, almost like the loudspeaker of a music system. It makes the chirps sound louder and travel farther.

Meet the family!

276 Are all minibeasts, bugs and creepy-crawlies truly insects? One way to tell is to count the legs. If a creature has six legs, it's an insect. If it has fewer or more, it's some other kind of animal. However, leg-counting only works with fully grown or adult creatures. Some young forms or larvae, like fly maggots, have no legs at all. But they develop into six-legged flies, and flies are certainly insects.

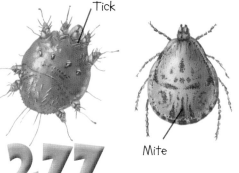

Tick

Mite

Maggots

277 Mites and ticks have eight legs. They are not insects. Ticks and some mites cling onto larger animals and suck their blood. Some mites are so small that a handful of soil may contain half a million of them. Mites and ticks belong to the group of animals with eight legs, called arachnids. Other arachnids are spiders and scorpions.

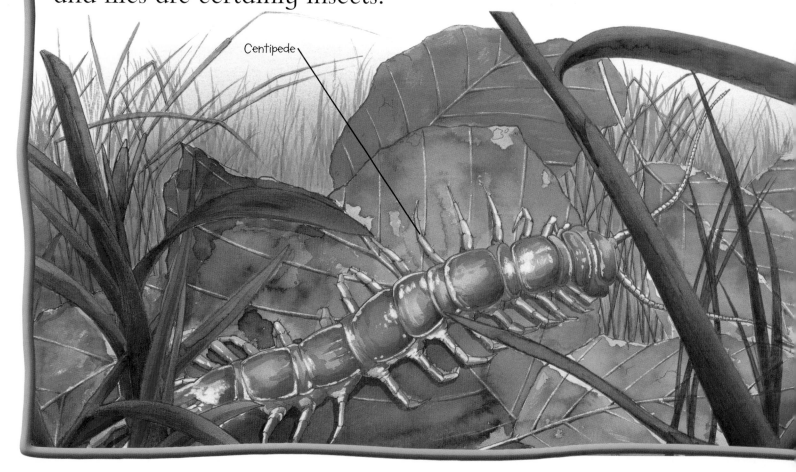

Centipede

278
A woodlouse has a hard body casing and feelers on its head. It has more than 10 legs so it is certainly not an insect! It is a crustacean—a cousin of crabs and lobsters.

279
Centipedes have lots of legs, far more than six—usually more than 30. The centipede has two very long fangs that give a poison bite. It races across the ground hunting for small animals to eat—such as insects.

280
Millipedes have 50 or 100 legs, maybe even more. They are certainly not insects. Millipedes eat bits of plants such as old leaves, bark, and wood.

QUIZ

Which of these minibeasts has a poisonous bite or sting?

Millipede
Scorpion
Woodlouse
Tick
Centipede
Maggot

Only the centipede and scorpion have a poisonous bite or sting.

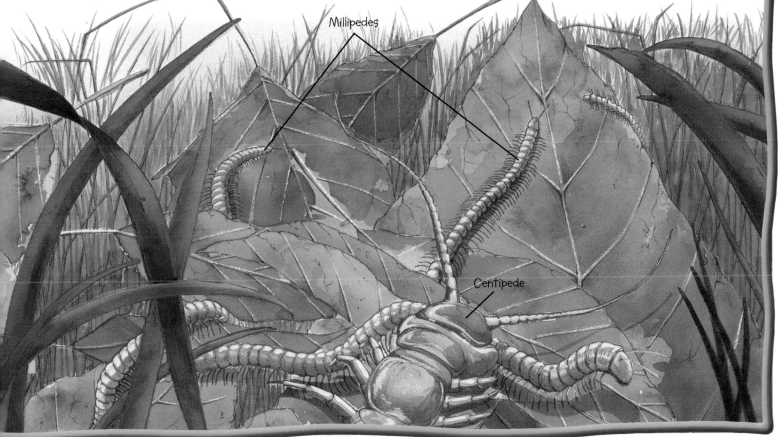

Millipedes

Centipede

Silky spiders

281 **A spider has eight legs.** So it's not an insect. It's a type of animal called an arachnid. All spiders are deadly hunters. They have large fanglike jaws which they use to grab and stab their prey. The fangs inject a poison to kill or quieten the victim. The spider then tears it apart and eats it, or sucks out its body juices. Like spiders, scorpions and mites and ticks have eight legs. So they are also arachnids.

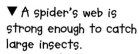

282 **All spiders can make very thin, fine threads called silk.** These come out of the rear of the spider's body, from parts called spinnerets. Spiders spin their silk for many reasons. About half of the 40,000 different kinds of spiders make webs or nets to catch prey. Some spiders wrap up their living victims in silk to stop them escaping, so the spider can have its meal later. Some female spiders make silk bags, called cocoons, where they lay their eggs, and others spin protective silk "nursery tents" for their babies.

Several spinnerets produce silk

Spigots produce coarse silk for making webs

Spools produce fine silk for wrapping prey

▼ A spider starts a web by building a bridge.

▲ Then it makes a triangle shape.

▼ It adds more threads to make a strong framework.

▲ Finally, the spider fills the frame with circular threads.

▼ A spider's web is strong enough to catch large insects.

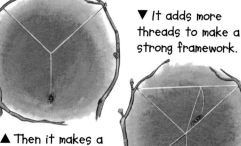

◀ The Australian redback spider is one of the most deadly of a group called widow spiders. These spiders get their name because, once they have mated, the female may well eat the male!

MAKE A SPIDER'S WEB

You will need

| cardboard | a spool of thread |
| round-ended scissors | glue or tape |

1. Ask an adult for help. Cut a large hole out of cardboard. Stretch some thread across the hole and glue or tape both ends.

2. Do the same again several times at a different angles. Make sure all the threads cross at the center of the hole.

3. Starting at the center, glue a long piece of thread to one of the cross pieces, then to the next cross piece but slightly farther away from the center, and so on. Work your way around in a growing spiral until you reach the edge. That's the way that real spiders make webs.

283
Some spiders have very strange ways of using their silk threads. The spitting spider squirts sticky silk at its victim, like throwing tiny ropes over it. The bolas spider catches moths and other insects flying past with its own kind of fishing line. The water spider makes a crisscross sheet of silk that holds bubbles of air. It brings the air down from the surface, so the spider can breathe underwater.

◀ The bolas spider makes a sticky ball and sticks it to a length of silk. It then whirls this rope around like a lasso and catches insects flying past.

Inventive arachnids

284 Not all spiders catch their prey using webs. Wolf spiders are strong and have long legs. They run fast and chase tiny prey such as beetles, caterpillars, and slugs.

▲ Wolf spider

286 The trapdoor spider lives in a burrow with a wedge-shaped door made from silk. The spider hides just behind this door. When it detects a small animal passing, it opens the door and rushes out to grab its victim.

▶ This gold leaf crab spider has caught a honeybee. Its venom works fast to paralyze the bee. If it did not, the bee's struggling might harm the spider and draw the attention of the spider's enemies.

285 The crab spider looks like a small crab, with a wide, tubby body and curved legs. It usually sits on a flower which is the same color as itself. It keeps very still so it is camouflaged—it merges in with its surroundings. Small animals such as flies, beetles, and bees come to the flower to gather food and the crab spider pounces on them.

▼ The eyes of the tiny jumping spider work like a zoom lens on a camera, and help it judge distances very well.

287

The jumping spider is only 0.2–0.4in (5–10mm) long—but it can leap more than 20 times this distance. It jumps onto tiny prey such as ants. The jumping spider's eyes are enormous for its small body, so it can see how far it needs to leap so that it lands on its victim.

288

Bird–eating spiders, sometimes called "tarantulas," are huge, hairy spiders from tropical South America and Africa. Stretch out your hand and it still would not be as big as some of these giants. They are strong enough to catch big beetles, grasshoppers, other spiders, and even mice, frogs, lizards, and small birds.

I DON'T BELIEVE IT!

The name "tarantula" was first given to a type of wolf spider from Europe. Its body is about 1.6in (40mm) long and it lives in a burrow. Its bite can be very irritating, sore and painful.

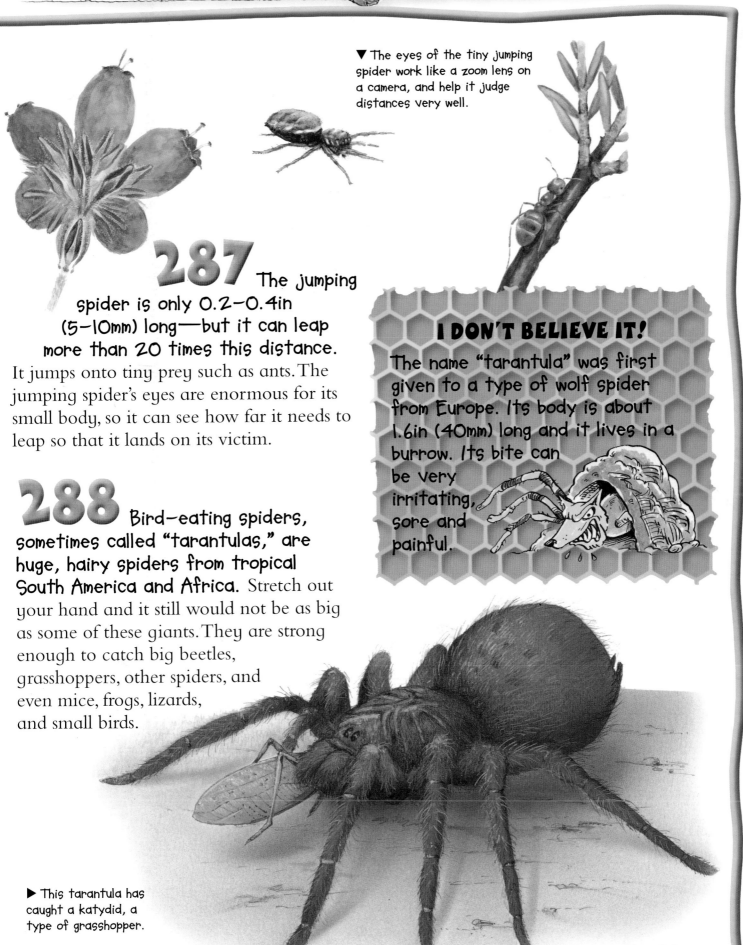

▶ This tarantula has caught a katydid, a type of grasshopper.

A sting in the tail

289 A scorpion has eight legs. It is not an insect. Like a spider, it is an arachnid. Scorpions live in warm parts of the world. Some are at home in dripping rain forests. Others like baking deserts. The scorpion has large, crab-like pincers, called pedipalps, to grab its prey, and powerful jaws like scissors to chop it up.

290 The scorpion has a dangerous poison sting at the tip of its tail. It may use this to poison or paralyze a victim, so the victim cannot move. Or the scorpion may wave its tail at enemies to warn them that, unless they go away, it will sting them to death!

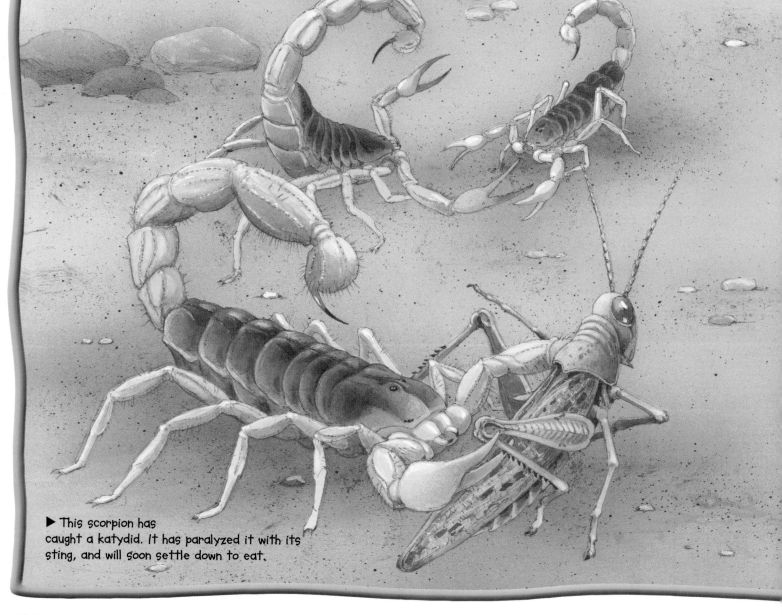

▶ This scorpion has caught a katydid. It has paralyzed it with its sting, and will soon settle down to eat.

291 The sun spider or solifuge is another very fierce, eight-legged, spiderlike hunter, with a poisonous bite. It lives in deserts and dry places, which is why it's sometimes called the camel spider.

292 The false scorpion looks like a scorpion, with big pincers. But it does not have a poisonous sting in its tail. It doesn't even have a tail. And it's tiny—it could fit into this "o"! It lives in the soil and hunts even smaller creatures.

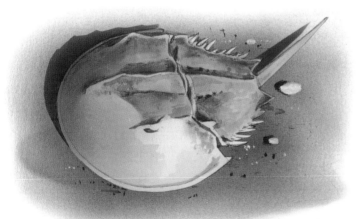

▲ Horseshoe crab

293 A crab may seem an odd cousin for a spider or scorpion. But the horseshoe or king crab is very unusual. It has eight legs—so it's an arachnid. It also has a large domed shell and strong spiky tail. There were horseshoe crabs in the seas well before dinosaurs roamed the land.

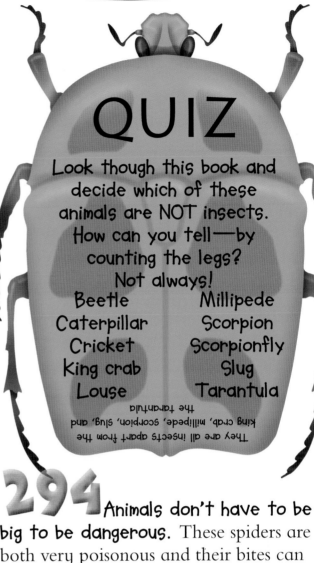

QUIZ

Look though this book and decide which of these animals are NOT insects. How can you tell—by counting the legs? Not always!

Beetle
Caterpillar
Cricket
King crab
Louse

Millipede
Scorpion
Scorpionfly
Slug
Tarantula

They are all insects apart from the king crab, millipede, scorpion, slug, and the tarantula

294 Animals don't have to be big to be dangerous. These spiders are both very poisonous and their bites can even kill people. This is why you should never fool around with spiders or poke your hands into holes and dark places!

Violin spider

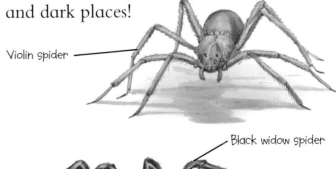

Black widow spider

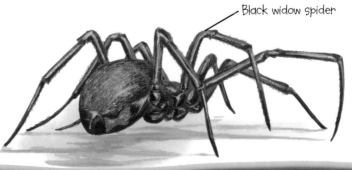

Friends and foes

295 Some insects are harmful—but others are very helpful. They are a vital part of the natural world. Flies, butterflies, beetles, and many others visit flowers to collect nectar and pollen to eat. In the process they carry pollen from flower to flower. This is called pollination and is needed so that the flower can form seeds or fruits.

296 Spiders are very helpful to gardeners. They catch lots of insect pests, like flies, in their webs.

297 Bees make honey, sweet and sticky and packed with energy. People keep honeybees in hives so the honey is easier to collect. Wild bees make honey to feed their larvae and as a food store when conditions are bad. But the honey is eaten by numerous animals such as bears, ratels (honey badgers), and birds.

◄ These bees are busy working in their hive. On the right you can see the young, c-shaped grubs.

Where DO flies and other insects go in the winter? Most die from cold and lack of food. But before they die, they lay tiny eggs in sheltered places such as cracks, crevices, and corners. Next year the eggs hatch and the yearly cycle of insect life begins again.

298 **A few kinds of insects are among the most harmful creatures in the world.** They do not attack and kill people directly, like tigers and crocodiles. But they do spread many types of dangerous diseases such as malaria.

299 **Blood-sucking flies bite a person with a certain disease, such as malaria, and suck in a small amount of blood.** This contains millions of microscopic germs which cause the disease. As the fly bites another person, a tiny drop of the first person's blood gets into the second person— and the disease is passed on.

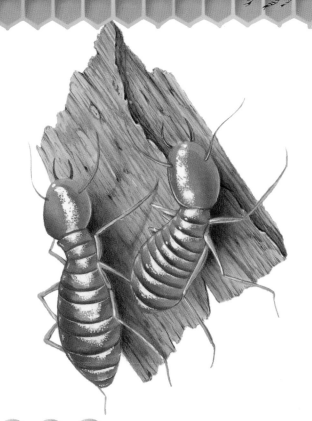

300 **Some insects even damage wooden houses, bridges, barns, and walkways.** Certain kinds of termites make nests in the wood and tunnel inside it. The damage cannot be seen from the outside until the timber is eaten almost hollow. Then it collapses into a pile of dust if anyone even touches it!

What are mammals?

301 Mammals are warm-blooded animals with a bony skeleton and fur or hair. Being warm-blooded means that a mammal can keep its body at a constant temperature, even if the weather is very cold. The skeleton supports the body and protects the delicate parts inside, such as the heart, lungs and brain. There is one sort of mammal you know very well— it's you!

African savanna elephant

Eurasian beaver

European water vole

Meerkat

Eurasian otter

Cheetah

Red panda

Greater
fruit bat

Lion

Greater
horseshoe
bat

Western tarsier

Racoon dog

135

The mammal world

302 **There are nearly 4,500 different types of mammal.** Most have babies that grow inside the mother's body. While a baby mammal grows, a special organ called a placenta supplies it with food and oxygen from the mother's body. These mammals are called placental mammals.

▼ This echidna is part of a group of mammals called monotremes. They do not give birth to live young— they lay eggs instead.

304 **Not all mammals' young develop inside the mother's body.** Two smaller groups of mammals do things differently. Monotremes, like platypuses and echidnas or spiny anteaters, lay eggs. The platypus lays her eggs in a burrow, but the echidna keeps her single egg in a special dip in her belly until it is ready to hatch

▼ Duck-billed platypus

303 **Mammal mothers feed their babies on milk from their own bodies.** The baby sucks this milk from teats on special mammary glands, also called udders or breasts, on the mother's body. The milk contains all the food the young animal needs to help it grow.

315
The red kangaroo is a champion jumper. It can leap along at 25mph (40km/h) or more. The kangaroo needs to be able to travel fast. It lives in the dry desert lands of Australia and often has to journey long distances to find grass to eat and water to drink.

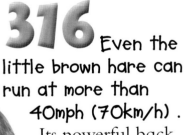

▲ The red kangaroo can leap 30ft (9m) in a single bound.

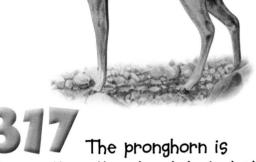

▼ The pronghorn is one of the fastest mammals in North America. It has to run to escape its enemies, such as wolves.

317
The pronghorn is slower than the cheetah, but it can run for longer. It can keep up a speed of 40mph (70km/h) for about ten minutes.

316
Even the little brown hare can run at more than 40mph (70km/h). Its powerful back legs help it move fast enough to escape enemies such as foxes.

SPEED DEMONS!
How do you compare to the fastest mammal on earth? Ask an adult to measure how far you can run in 10 seconds. Multiply this by 6, and then multiply the answer by 60 to find out how far you can run in an hour. If you divide this by 5,280 you will get your speed in miles per hour (divide meters by 1,000 for km/h). Is it less than the cheetah's 60mph (100km/h)?

Swimmers and divers

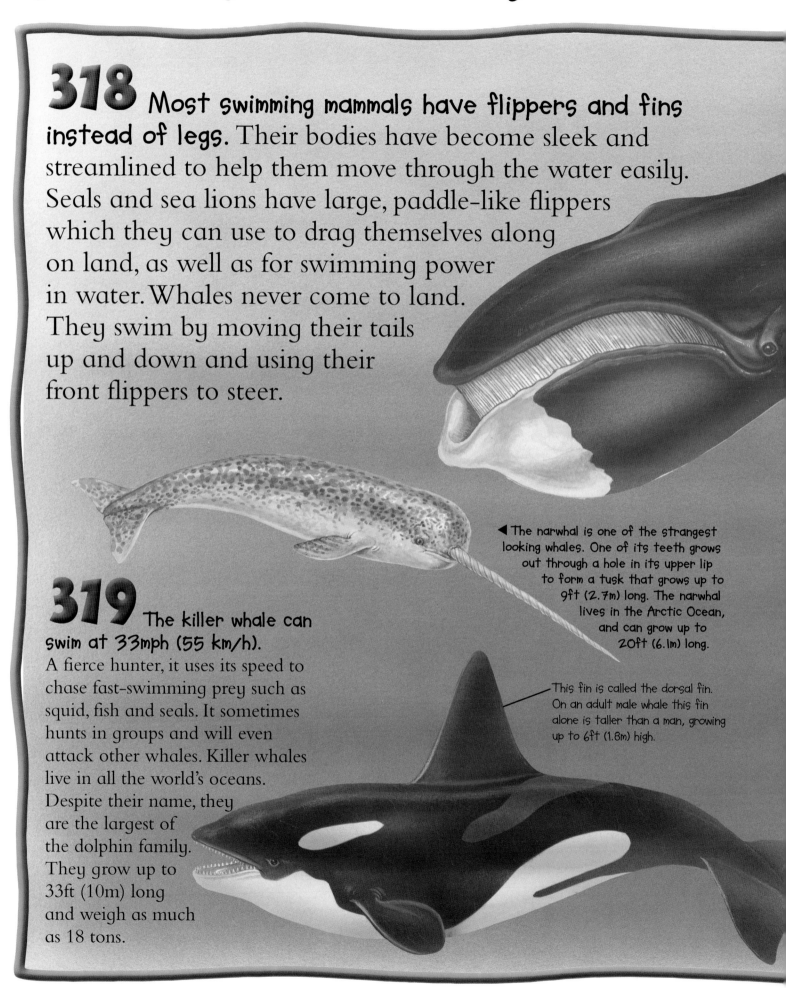

318 **Most swimming mammals have flippers and fins instead of legs.** Their bodies have become sleek and streamlined to help them move through the water easily. Seals and sea lions have large, paddle-like flippers which they can use to drag themselves along on land, as well as for swimming power in water. Whales never come to land. They swim by moving their tails up and down and using their front flippers to steer.

◄ The narwhal is one of the strangest looking whales. One of its teeth grows out through a hole in its upper lip to form a tusk that grows up to 9ft (2.7m) long. The narwhal lives in the Arctic Ocean, and can grow up to 20ft (6.1m) long.

319 **The killer whale can swim at 33mph (55 km/h).** A fierce hunter, it uses its speed to chase fast-swimming prey such as squid, fish and seals. It sometimes hunts in groups and will even attack other whales. Killer whales live in all the world's oceans. Despite their name, they are the largest of the dolphin family. They grow up to 33ft (10m) long and weigh as much as 18 tons.

This fin is called the dorsal fin. On an adult male whale this fin alone is taller than a man, growing up to 6ft (1.8m) high.

◀The bowhead whale, also called the Greenland Right whale, lives in the Arctic Ocean. It grows up to 66ft (20m) long, feeding on tiny creatures that it gets from the water using filters in its mouth called baleen.

◀The northern fur seal grows up to 6ft (1.8m) long. It is unusual because its rear flippers are much larger for its size than other species of fur seal.

▲The harp seal lives in the Arctic Ocean. It grows to about the same size as a grown man. It feeds mainly on fish and shellfish, which it catches on long, deep dives.

QUIZ

1. How deep can a Weddell seal dive?
2. What is the layer of fat on a seal's body called?
3. How fast can a killer whale swim?
4. How do whales move their tails when they swim?

1. 2,000ft (600m) or more
2. Blubber
3. 33mph (55km/h)
4. Up and down

Weddell seal

320 The Weddell seal can dive deeper than any other seal. It goes down to depths of 2,000ft (600m) or more in its search for cod and other fish. The Weddell seal can stay underwater for a long while, and dives of more than an hour have been timed. This seal lives in the icy waters of Antarctica. Its body is covered with a thick layer of blubber which helps to keep it warm.

Fliers and gliders

321 **Bats are the only true flying mammals.** They zoom through the air on wings made of skin. These are attached to the sides of their body and supported by specially adapted, extra-long bones of the arms and hands. Bats generally hunt at night. During the day they hang upside down by their feet from a branch or cave ledge. Their wings are neatly folded at their sides or around their body.

▲ Fruit-eating bats, such as flying foxes, live in the tropics. They feed mostly on fruit and leaves.

322 **There are more than 950 different types of bat.** They live in most parts of the world, but not in colder areas. Bats feed on many different sorts of food. Most common are the insect-eating bats, which snatch their prey from the air while in flight. Others feast on pollen and nectar from flowers. Flesh-eating bats catch fish, birds, lizards, and frogs.

▲ True vampire bats feed only on the blood of other mammals!

335 Hyenas come out at night to find food.

During the day they shelter underground. Hyenas are scavengers—this means that they feed mainly on the remains of creatures killed by larger hunters. When a lion has eaten its fill, the hyenas rush in to grab the remains.

336 Bats hunt at night.

Insect feeders, such as the horseshoe bat, manage to find their prey by means of a special kind of animal sonar. The bat makes high-pitched squeaks as it flies. If the waves from these sounds hit an animal, such as a moth, echoes bounce back to the bat. These echoes tell the bat where its prey is.

Large ears hear the echoes.

QUIZ

1. What do we call animals that come out only at night?
2. Where does the tarsier live?
3. What is a scavenger?
4. How does the horseshoe bat find its prey?
5. What does the red panda eat?

1. Nocturnal 2. Southeast Asia 3. An animal that eats the remains of creatures killed by larger hunters 4. By animal sonar 5. Bamboo shoots, fruit, acorns, insects, birds' eggs

Busy builders

337 Beavers start their home building by damming a stream with branches, stones, and mud. They do this to make a deep, quiet lake where they can make a winter food store and a shelter called a lodge. Once the dam is made they begin to build the lodge, usually a dome-shaped structure made of sticks and mud. In summer, beavers feed on twigs, leaves, and roots. They also collect extra branches and logs to store for the winter.

The beaver gnaws the tree to fell it and eat the soft bark.

The entrance to the lodge is usually underwater but the single chamber inside is above water level.

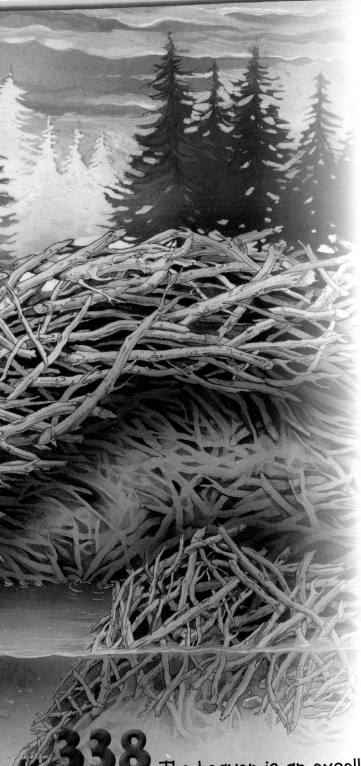

339 **The harvest mouse makes a nest on grass stems.** It winds some strong stems round one another to make a kind of platform. She then weaves some softer grass stems into the structure to form a ball-like shape about 4in (10cm) across.

338 **The beaver is an excellent swimmer.** It has a broad flat tail, which acts like a paddle when swimming, and it has webbed feet. It dives well, too, and can stay underwater for five minutes or more. To warn others of danger, a beaver may slap the water with its tail as it dives.

Family life

340 Many mammals live alone, except when they have young, but others live in groups. Wolves live in family groups called packs. The pack is led by an adult female and her mate and may include up to 20 other animals.

341 Chimpanzees live in troops of anything from 15 to 80 animals. There are different types of troops, some are all male, some are just females with young, and some have males, females, and young, led by an adult male. Each troop has its own territory which varies in size depending on how many animals are in the troop, and how far they need to travel for food. Troop bonds are loose and animals often move from one to another.

342 Lions live in groups called prides. The pride may include one or more adult males, females related to each other, and their young. The average number in a pride is 15. Female young generally stay with the pride of their birth but males must leave before they are full-grown. Lions are unusual in their family lifestyle—all other big cats live alone.

343 A type of mongoose called a meerkat lives in large groups of up to 30 animals. The group is called a colony and contains several family units of a pair of adults along with their young. The colony lives in a network of underground burrows. The members of the colony guard each other against enemies.

I DON'T BELIEVE IT!

Lions may be fierce but they are also very lazy. They sleep and snooze for more than 20 hours of the day!

344 Naked mole rats live underground in a colony of animals led by one female. The colony includes about 100 animals and the ruling female, or queen, is the only one that produces young. Other colony members live like worker bees—they dig the burrows to find food for the group, and look after the queen.

345 Some whales live in families too. Pilot whales, for example, live in groups of 20 or more animals that swim and hunt together. A group may include several adult males and a number of females and their young.

346 The male elephant seal fights rival males to gather a group of females. This group is called a harem and the male seal defends his females from other males. The group does not stay together for long after mating.

153

Desert dwellers

347 **Many desert animals burrow underground to escape the scorching heat.** The North African gerbil, for example, stays hidden all day and comes out at night to find seeds and insects to eat. This gerbil is so well adapted to desert life that it never needs to drink. It gets all the liquid it needs from its food.

▲ North African gerbil

▼ Most camels are kept by people in the desert, but some still live wild.

348 **The large ears of the fennec fox help it to lose heat from its body.** This fox lives in the North African desert. For its size, it has the largest ears of any dog or fox.

Large ears also give the fennec fox very good hearing!

349 **A camel can last for weeks without drinking water.** It can manage on the liquid it gets from feeding on desert plants. But when it does find some water it drinks as much as 22gal (80l) at one time. It does not store water in its hump, but it can store fat.

350 **The bactrian camel has thick fur to keep it warm in winter.** It lives in the Gobi Desert in Asia where winter weather can be very cold indeed. In summer, the camel's long shaggy fur drops off, leaving the camel almost hairless.

351

The kangaroo rat never needs to drink. A mammal's kidneys control how much water there is in the animal's body. The kangaroo rat's kidneys are much more efficient than ours. It can even make some of its food into water inside its body!

▶ The kangaroo rat is named because it has long, strong back legs and can jump like a kangaroo.

QUIZ

1. How much water can a camel drink in one go?
2. Where does the bactrian camel live?
3. What dangerous animal does the desert hedgehog eat?
4. Which animals never need to drink?
5. Where does Pallas's cat live?

1. 22gal (80l) 2. Gobi Desert
3. Scorpions 4. Kangaroo rat and the North African gerbil
5. The Gobi Desert

352

The desert hedgehog eats scorpions as well as insects and birds' eggs. It carefully nips off the scorpion's deadly sting before eating.

▲ The desert hedgehog digs a short, simple burrow into the sand. It stays there during the day to escape the heat.

353

Pallas's cat lives in the Gobi Desert. Its fur is thicker and longer than that of any other small cat to keep it warm in the cold Gobi winter. Pallas's cat lives alone, usually in a cave or a burrow and hunts small creatures such as mice and birds.

On the prowl

354 **Animals that hunt and kill other creatures are called carnivores.** Examples of carnivores are mammals such as lions, tigers, wolves, and dogs. Meat is a more concentrated food than plants so many carnivores do not have to hunt every day. One kill will last them for several days.

▶ Most carnivores will hunt creatures smaller than themselves. The tiger can more easily catch and kill smaller prey like this water deer.

355

The tiger is the biggest of the big cats and an expert hunter. It hunts alone, often at night, and buffalo, deer, and wild pigs are its usual prey. The tiger cannot run fast for long so it prefers to creep up on its prey without being noticed. Its stripy coat helps to keep it hidden among long grasses. When it is as close as possible to its prey, the tiger makes a swift pounce and kills its victim with a bite to the neck. The tiger clamps its powerful jaws around the victim's throat and suffocates it.

356

Bears eat many different sorts of food. They are carnivores but most bears, except for the polar bear, eat more plant material than meat. Brown bears eat fruit, nuts, and insects and even catch fish. In summer, when salmon swim up rivers to lay their eggs, the bears wade into the shallows and hook fish from the water with their mighty paws.

MAKE A FOOD CHAIN

Make your own food chain. Draw a picture of a large carnivore such as a lion and tie it to a piece of string. Then draw a picture of an animal that the lion catches such as a zebra. Hang that from the picture of the lion. Lastly draw a picture of lots of grass and plants (the food of the zebra). Hang that from the picture of the zebra.

357

Hunting dogs hunt in packs. Together, they can bring down a much larger animal. The pack sets off after a herd of plant eaters such as zebras or gazelles. They try to separate one animal that is perhaps weaker or slower from the rest of the herd.

Fighting back

358 Some animals have special ways of defending themselves from deadly enemies. The nine-banded armadillo protects itself with its body armor. Strong plates made of bone, topped with a layer of horn, cover the armadillo's back, sides, and head. Its legs and belly are left unprotected, but if it is attacked the armadillo rolls itself up into tight ball.

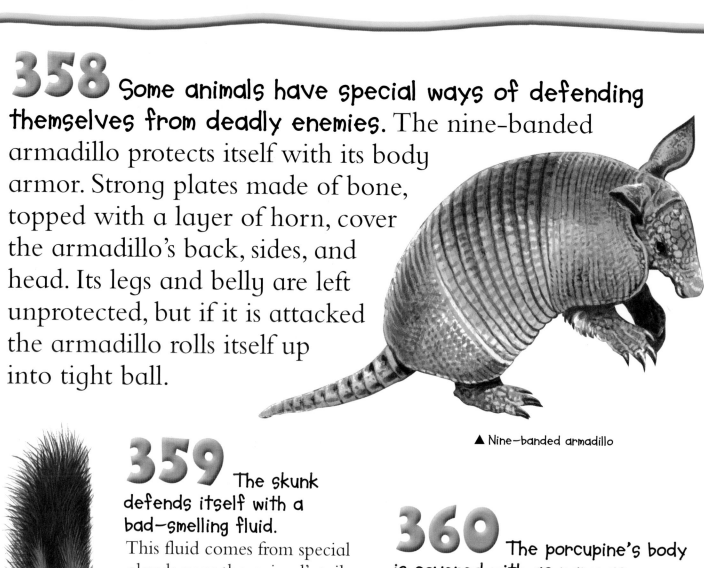

▲ Nine-banded armadillo

359 The skunk defends itself with a bad-smelling fluid. This fluid comes from special glands near the animal's tail. If threatened, the skunk lifts its tail and sprays its enemy. The fluid's strong smell irritates the victim's eyes and makes it hard to breathe, and the skunk runs away.

360 The porcupine's body is covered with as many as 30,000 sharp spines. When an enemy approaches, the porcupine first rattles its spines as a warning. If this fails, the porcupine runs towards the attacker and drives the sharp spines into its flesh.

361
A rhinoceros may charge its enemies at top speed. Rhinoceroses are generally peaceful animals but a female will defend her calf fiercely. If the calf is threatened, she will gallop toward the enemy with her head down and lunge with her sharp horns. Few predators will stay around to challenge an angry rhino.

▲ The sight of a full-grown rhinoceros charging is enough to make most predators turn and run.

362
The pangolin's body is protected by tough overlapping scales. These make the animal look rather like a giant pinecone. The pangolin feeds mainly on ants and termites and its thick scales protect it from the stinging bites of its tiny prey.

Deep in the jungle

363 Jungle mammals live at all levels of the forest from the tallest trees to the forest floor. Bats fly over the treetops and monkeys and apes swing from branch to branch. Lower down, smaller creatures, such as civets and pottos, hide among the dense greenery.

Moustached bat

Angwantibo

Gorilla

Pygmy chimpanzee

Talapoin

Jaguar

Giant armadillo

Civet

364 The jaguar is one of the fiercest hunters in the jungle. It lives in the South American rain forest and is the largest cat in South America. The piglike peccary and the capybara—a large jungle rodent—are among its favorite prey.

365 The howler monkey has the loudest voice in the jungle. Each troop of howler monkeys has its own special area, called a territory. Males in rival troops shout at each other to defend their territory. Their shouts can be heard from nearly 3mi (5km) away.

366

The sloth hardly ever comes down to the ground. This jungle creature lives hanging from a branch by its special hooklike claws. It is so well adapted to this life that its fur grows downward—the opposite way to that of most mammals—so that rainwater drips off more easily.

Two-toed sloth

367

Some monkeys, such as the South American wooly monkey, have a long tail that they use as an extra limb when climbing. This is called a prehensile tail. It contains a powerful system of bones and muscles so it can be used for gripping.

368

Tapirs are plump piglike animals that live on the jungle floor. There are three different kinds of tapir in the South American rain forests and one kind in the rain forests of Southeast Asia. Tapirs have long bendy snouts and they feed on leaves, buds, and grass.

▼ This Brazilian tapir is often found near water and is a good swimmer.

369

The okapi uses its long tongue to pick leaves from forest trees. This tongue is so long that the okapi can lick its own eyes clean! The okapi lives in the African rain forest.

Strange foods

370 Some mammals only eat one or two kinds of food. The giant panda, for instance, feeds mainly on the shoots and roots of the bamboo plant. It spends up to 12 hours a day eating, and gobbles up about 25lb (12kg) of bamboo a day. The panda also eats small amounts of other plants such as irises and crocuses, and very occasionally hunts small creatures such as mice and fish. Giant pandas live in the bamboo forests of central China.

▼ People used to think that vampire bats sucked blood up through fangs. Now we know that they lap like a cat.

▲ There are very few giant pandas left in the world. Their homes are being cut down, which leaves them with nothing to eat.

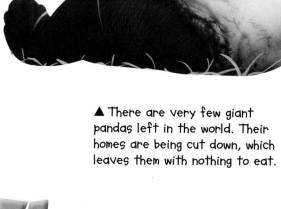

371 The vampire bat feeds only on blood—it is the only bat that has this special diet. The vampire bat hunts at night. It finds a victim such as a horse or cow and crawls up its leg onto its body. The bat shaves away a small area of flesh and, using its long tongue, laps up the blood that flows from the wound. It feeds for about 30 minutes, and probably drinks about 7gal (26l) of blood a year.

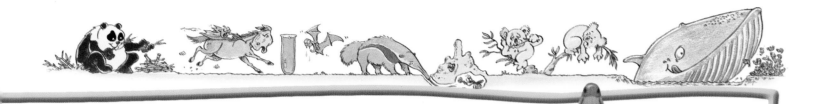

372

Tiny ants and termites are the main foods of the giant anteater. The anteater breaks open the insects' nests with its strong hooked claws. It laps up huge quantities of the creatures, their eggs and their young with its long tongue. This tongue is about 2ft (60cm) long and has a sticky surface that helps the anteater to catch the insects.

Giant anteater

QUIZ

1. From how far away can you hear a howler monkey?
2. How fast does a sloth move along the ground?
3. Some monkeys have tails they can grip with. What is the word for them?
4. How much bamboo does a giant panda eat in a day?
5. What does the koala eat?
6. How long is an anteater's tongue?

1. Nearly 3mi (5km) 2. About 6ft (1.8m) per minute 3. Prehensile 4. About 25lb (12kg) 5. Eucalyptus leaves 6. 2ft (60cm)

373

The mighty blue whale eats only tiny shrimplike creatures called krill. The whale strains these from the water through a special filter system in its mouth called baleen. It may eat up to 4 tons of krill a day.

Baleen

374

The koala eats the leaves of eucalyptus plants. These leaves are very tough and can be poisonous to many other animals. They do not contain much goodness and the koala has to eat for several hours every day to get enough food. It spends the rest of its time sleeping to save energy. The koala's digestive system has adapted to help it cope with this unusual diet.

Tool users

375 **The chimpanzee is one of the few mammals to use tools to help it find food.** It uses a stone like a hammer to crack nuts, and uses sticks to pull down fruit from the trees and for fighting. It also uses sticks to help catch insects.

▶ The chimp pokes a sharp stick into a termite or ant nest. It waits a moment or two and then pulls the stick out, covered with juicy insects that it can eat.

▶ Chimps have also discovered that leaves make a useful sponge for soaking up water to drink or for wiping their bodies. Scientists think that baby chimps are not born knowing how to use tools. They have to learn their skills by watching adults at work.

376

The sea otter uses a stone to break open its shellfish food. It feeds mainly on sea creatures with hard shells, such as mussels, clams, and crabs. The sea otter lies on its back in the water and places a rock on its chest. It then bangs the shellfish against the rock until the shell breaks, allowing the otter to get at the soft meat inside.

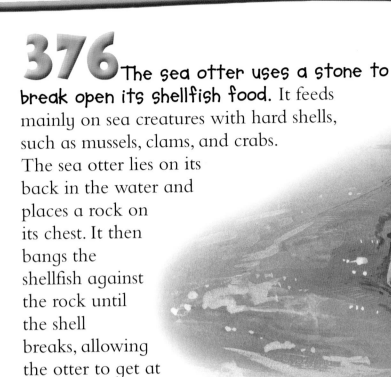

▲ The sea otter spends most of its life in the waters of the North Pacific and is an expert swimmer and diver.

377

The cusimanse is a very clever kind of mongoose. It eats frogs, reptiles, mammals and birds, but it also eats crabs and birds' eggs. When it comes across a meal that is protected by a tough shell, it throws it back between its hind legs against a stone or tree to break it open and get at the tasty insides!

ANIMAL POSTERS

Take a sheet of paper and trace as many predators from this book as you can find. Color them in and put a big heading—PREDATORS. Take another sheet and trace all the plant eaters you can find. Put a big heading—PLANT EATERS.

PREDATORS   PLANT EATERS

City creatures

378 Foxes are among the few large mammals which manage to survive in towns and cities. Once foxes found all their food in the countryside, but now more and more have discovered that city trash cans are a good hunting ground. The red fox will eat almost anything. It kills birds, rabbits, eats insects, fruit, and berries and takes human leavings.

379 Raccoons also live in city areas and raid trash cans for food. Like foxes, they eat lots of different kinds of food, including fish, nuts, seeds, berries, and insects, as well as what they scavenge from humans. They are usually active at night and spend the day in a den made in a burrow, a hole in rocks or even in the corner of an empty city building.

380 Rats and mice are among the most successful of all mammals. They live all over the world and they eat almost any kind of food. The brown rat and the house mouse are among the most common. The brown rat eats seeds, fruit, and grain, but it will also attack birds and mice. In cities it lives in cellars and sewers, anywhere there is rotting food and rubbish. The house mouse hides under floors and in cupboards. It will eat any human food it can find, as well as paper, glues, and even soap!

I DON'T BELIEVE IT!

Rats will eat almost anything. They have been known to chew through electrical wires, lead piping, and even concrete dams. In the United States rats are said to cause up to 1 billion dollars' worth of damage every year!

Freshwater mammals

381 Most river mammals spend only part of their time in water. Creatures such as the river otter and the water rat live on land and go into the water to find food. The hippopotamus, on the other hand, spends most of its day in water to keep cool. Its skin needs to stay moist, and it cracks if it gets too dry.

▶ The hippo is not a good swimmer but it can walk on the riverbed. It can stay underwater for up to half an hour.

382 Webbed feet make the water rat a good swimmer. They help the rat push its way through water. Other special features for a life spent partly in water include its streamlined body and small ears.

Water opossum

383 The water opossum is the only marsupial that lives in water. Found around lakes and streams in South America, it hides in a burrow during the day and dives into the river at night to find fish.

▼ When a platypus has found its food, it stores it in its cheeks until it has time to eat it.

384
The platypus uses its ducklike beak to find food in the riverbed. This strange beak is extremely sensitive to touch and to tiny electric currents given off by prey. The platypus dives down to the bottom of the river and digs in the mud for creatures such as worms and shrimps.

Eurasian otter

385
The river otter's ears close off when it is swimming. This stops water getting into them when the otter dives. Other special features are the otter's webbed feet, and its short, thick fur, which keeps its skin dry.

QUIZ

1. When are city foxes most active?
2. Do raccoons eat only seeds and berries?
3. What are the most common types of rats and mice?
4. Which is the only marsupial that lives in water?
5. What does the platypus eat?
6. Where do river dolphins live?
7. How does the water rat swim?

1. At night 2. No, they also eat fish, nuts, and insects 3. Brown rats and house mice 4. Water opossum 5. Worms, shrimps, and snails 6. Asia and South America 7. With the help of its webbed feet

386
Most dolphins are sea creatures but some live in rivers. There are five different kinds of river dolphins living in rivers in Asia and South America. All feed on fish and shellfish. They probably use echolocation, a kind of sonar like that used by bats, to find their prey.

▲ The Ganges dolphin is blind but can find food by skillful use of echolocation.

Plant eaters

387 Plant eaters must spend much of their time eating in order to get enough nourishment. A zebra spends at least half its day munching grass. The advantage of being a plant eater, though, is that the animal does not have to chase and compete for its food as hunters do.

▲ Carnivores, such as lions, feed on plant eaters, so there must always be more plant eaters than there are carnivores for this "food chain" to work successfully.

Queensland blossom bat

388 Some kinds of bat feed on pollen and nectar. The Queensland blossom bat, for example, has a long brush like tongue which it plunges deep into flowers to gather its food. As it feeds it pollinates the flowers—it takes the male pollen to the female parts of a flower so that it can bear seeds and fruits.

389
Rabbits have strong teeth for eating leaves and bark.
The large front teeth are called incisors and they are used for biting leaves and chopping twigs. The incisors keep growing throughout the rabbit's life—if they did not they would soon wear out. Farther back in the rabbit's mouth are broad teeth for chewing.

I DON'T BELIEVE IT!
Manatees are said to have been the origin of sailors' stories about mermaids. Short-sighted sailors may have mistaken these plump sea creatures for beautiful women.

390
The manatee is a water-living mammal that feeds on plants.
There are three different kinds of these large, gentle creatures: two live in fresh water in West Africa and in the South American rain forest, and the third lives in the west Atlantic, from Florida to the Amazon.

Manatee

Dugong

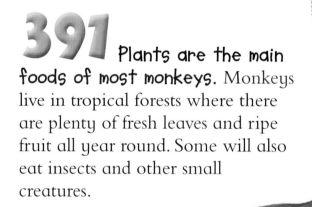

◄ Manatees, and their relations dugongs, feed on plants such as water weeds, water lilies, and seaweeds.

391
Plants are the main foods of most monkeys. Monkeys live in tropical forests where there are plenty of fresh leaves and ripe fruit all year round. Some will also eat insects and other small creatures.

White-cheeked mangabey

Digging deep

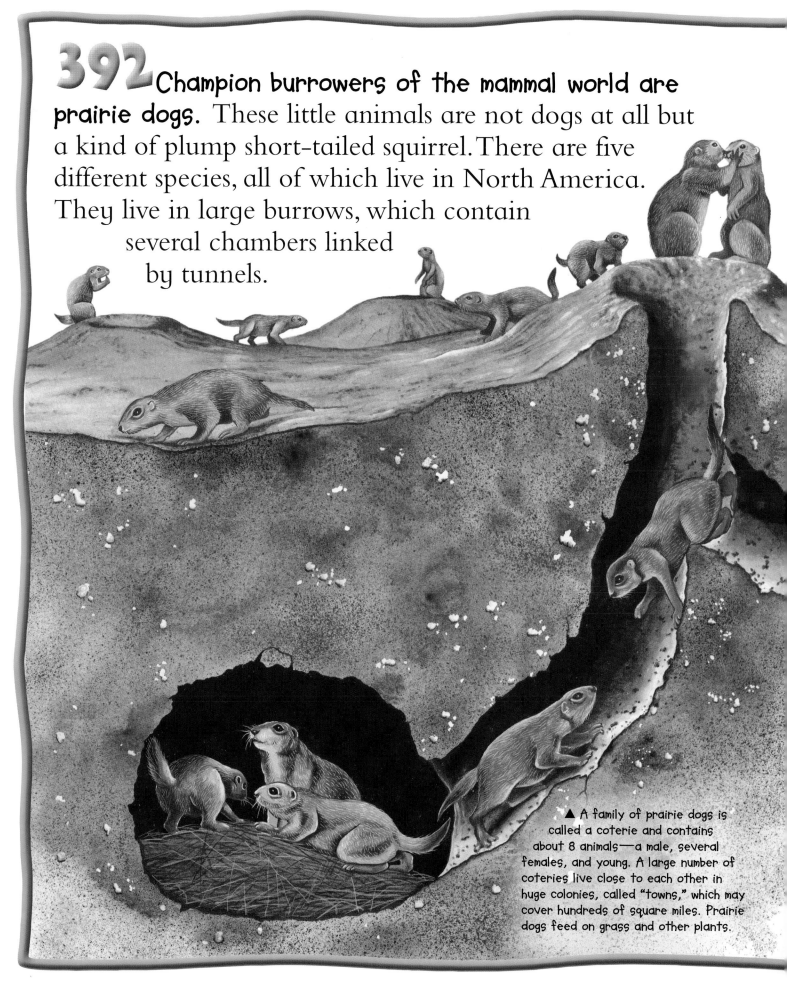

392 **Champion burrowers of the mammal world are prairie dogs.** These little animals are not dogs at all but a kind of plump short-tailed squirrel. There are five different species, all of which live in North America. They live in large burrows, which contain several chambers linked by tunnels.

▲ A family of prairie dogs is called a coterie and contains about 8 animals—a male, several females, and young. A large number of coteries live close to each other in huge colonies, called "towns," which may cover hundreds of square miles. Prairie dogs feed on grass and other plants.

393

Moles have specially adapted front feet for digging. The feet are very broad and are turned outwards for pushing through the soil. They have large strong claws. The mole has very poor sight. Its sense of touch is very well developed and it has sensitive bristles on its face.

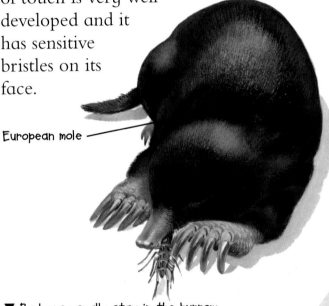

European mole

▼ Badgers usually stay in the burrow during the day and come out at dusk. They are playful creatures and adults are often seen chasing and even leapfrogging with their cubs.

394

Badgers dig a network of chambers and tunnels called a sett. There are special areas in the sett designated for breeding, sleeping, and food stores. Sleeping areas are lined with dry grass and leaves that the badgers sometimes take outside to air for a while.

Mothers and babies

395 **Most whales are born tail first.** If the baby emerged head first it could drown during the birth process. As soon as the baby has fully emerged, the mother, with the help of other females, gently pushes it up to the surface to take its first breath. The female whale feeds her baby on milk, just like other mammals.

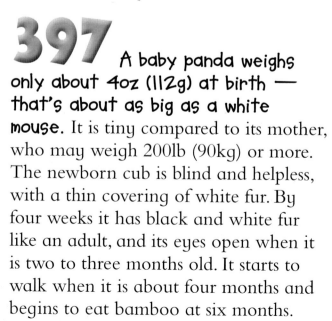

396 **The blue whale has a bigger baby than any other mammal.** At birth the baby is about 23ft (7m) long and weighs 2.2 tons—that's more than 30 average people. It drinks as much as 70gal (510l) a day!

Baby blue whale

397 **A baby panda weighs only about 4oz (112g) at birth — that's about as big as a white mouse.** It is tiny compared to its mother, who may weigh 200lb (90kg) or more. The newborn cub is blind and helpless, with a thin covering of white fur. By four weeks it has black and white fur like an adult, and its eyes open when it is two to three months old. It starts to walk when it is about four months and begins to eat bamboo at six months.

398

Some babies have to be up and running less than an hour after birth. If the young of animals such as antelopes were as helpless as the baby panda they would immediately be snapped up by predators. They must get to their feet and be able to move with the herd as quickly as possible or they will not survive.

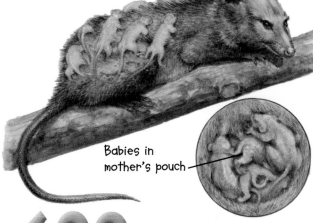

399

The female elephant has the longest pregnancy of any mammal. She carries her baby for 20 to 21 months. The calf weighs about 220lb (100kg) when it is born. It can stand up soon after the birth and run around after its mother when it is a few days old.

Virginia opossum

Babies in mother's pouch

400

The Virginia opossum has as many as 21 babies at one time—more than any other mammal. The young are only 0.4in (1cm) long, and all of the babies together could fit on a tablespoon.

What are birds?

401 A bird has two legs, a pair of wings, and a body that is covered with feathers. Birds are, perhaps, the animals we see most often in the wild. They live all over the world—everywhere from Antarctica to the hottest deserts and rain forests. They range in size from the huge ostrich, which stands 9ft (2.7m) tall, 3ft (90cm) taller than a man, to the tiny bee hummingbird, which is scarcely bigger than a real bee.

Osprey

Greater flamingo

Grey heron

Mallard

Kingfisher

Greater honeyguide

Helmeted hornbill

Masai ostrich

Lesser green broadbill

Blue peafowl

Red-billed hornbill

African jacana

Blue-crowned hanging parrot

177

The bird world

Crown

Bill, or beak

Throat

Lung

Heart

Liver

Toes

Stomach

Flight feathers

Light, hollow
bones, or skeleton

Kidney

Tail feathers

402 There are more
than 9,000 different
types, or species, of bird.
These have been organized
by scientists into groups called
orders which contain many
different species. The largest
order is called the passerines,
also known as perching or
song birds. These include
common birds such as robins.

▲ Most doves and pigeons are hunted by predators. Strong wing
muscles, that make up a third of their weight, help them to
take off rapidly and accelerate to 50mph (80km/h).

403 Birds are the only
creatures that have
feathers. The feathers are made of keratin—
the same material as our hair and nails. Feathers
keep a bird warm and protect it from the wind and
rain. Its wing and tail feathers allow a bird to fly.
Some birds also have very colorful
feathers which help them to
attract mates or blend in with
their surroundings. This is
called camouflage.

▶ The bird with the most feathers is
thought to be the whistling swan, with more
than 25,000 feathers.

404 All birds
have wings. These are
the bird's front limbs.
There are many
different wing shapes.
Birds that soar in the
sky for hours, such as
hawks and eagles, have
long broad wings.
These allow them to
make the best use of
air currents. Small
fast-flying birds
such as swifts
have slim,
pointed wings.

► The egg protects the growing young and provides it with food. While the young develops the parent birds, such as this song thrush, keep the egg safe and warm.

405
All birds lay eggs. It would be impossible for birds to carry their developing young inside their bodies as mammals do—they would become too heavy to fly.

406
All birds have a beak for eating. The beak is made of bone and is covered with a hard material called horn. Birds have different kinds of beak for different types of food. Insect-eating birds tend to have thin, sharp beaks for picking up their tiny prey. The short, strong parrot's beak is ideal for cracking hard-shelled nuts.

QUIZ
1. How many types of bird are there?
2. How many feathers does the whistling swan have?
3. What are feathers made of?
4. What is the largest order of birds called?
5. What sort of beaks do hunting birds have?

Answers:
1. More than 9,000
2. More than 25,000 3. Keratin
4. The passerines
5. Powerful hooked beaks

◄ Hunting birds, such as this goshawk, have powerful hooked beaks for tearing flesh.

Big and small

407 **The world's largest bird is the ostrich.** This long-legged bird stands up to 9ft (2.7m) tall and weighs up to 285lb (115kg)—twice as much as an average adult human. Males are slightly larger than females. The ostrich lives on the grasslands of Africa where it feeds on plant material such as leaves, flowers, and seeds.

▼ The great bustard lives in southern Europe and parts of Asia.

408 **The heaviest flying bird is the great bustard.** The male is up to 3ft (90cm) long and weighs about 40lb (18kg), although the female is smaller. The bustard is a strong flier, but it does spend much of its life on the ground, walking or running on its strong legs.

▼ A bee hummingbird, life size!

409 **The bee hummingbird is the world's smallest bird.** Its body, including its tail, is only about 2in (5cm) long and it weighs about the same as a small spoonful of rice. It lives on Caribbean islands and, like other hummingbirds, feeds on flower nectar.

410 **The largest bird of prey is the Andean condor.** A type of vulture, this bird measures about 44in (110cm) long and weighs up to 26lb (12kg). This bird of prey soars over the Andes Mountains of South America, hunting for food.

▼ Like most vultures, the condor is a scavenger. It looks for carrion, the carcasses of dead animals and the remains of other hunters' kills.

◄ The wandering albatross only comes to land at breeding time. It lays its eggs on islands in the South Pacific, South Atlantic, and Indian Ocean.

411 The wandering albatross has the longest wings of any bird.

When outstretched, they measure as much as 11ft (3.3m) from tip to tip. The albatross spends most of its life in the air. It flies over the oceans, searching for fish and squid which it snatches from the water surface.

QUIZ
1. How much does a bee hummingbird weigh?
2. Where do ostriches live?
3. What does the great bustard eat?
4. How long are the wandering albatross's wings?
5. Where does the collared falconet live?

1. About as much as a small spoonful of rice 2. Africa
3. Insects and seeds
4. 11ft (3.3m) from tip to tip
5. India and Southeast Asia

412

Wilson's storm petrel is the smallest seabird in the world. Only 6–8in (15–20cm) long, this petrel hops over the water surface snatching up tiny sea creatures to eat. It is very common over the Atlantic, Indian, and Antarctic Oceans.

413 The smallest bird of prey is the collared falconet. This little bird, which lives in India and Southeast Asia, is only about 7in (18cm) long. It hunts insects and other small birds.

Fast movers

414 **The fastest flying bird is the peregrine falcon.** It hunts other birds in the air and makes spectacular high-speed dives to catch its prey. During a hunting dive, a peregrine may move as fast as 110mph (175km/h). In normal level flight, it flies at about 60mph (100km/h). They live almost all over the world.

415 **Ducks and geese are also fast fliers.** Many of them can fly at speeds of more than 40mph (65km/h). The red-breasted merganser and the common eider duck can fly at up to 60mph (100km/h).

▼ Sword—billed hummingbird

When this hummingbird lands, it has to tilt its head right back to support the weight of its huge bill.

Tail feathers spread for landing.

416 **A hummingbird's wings beat 50 or more times a second as it hovers in the air.** The tiny bee hummingbird may beat its wings at an amazing 200 times a second. When hovering, the hummingbird holds its body upright and beats its wings backward and forward, not up and down, to keep itself in one place in the air. The fast-beating wings make a low buzzing or humming sound that gives these birds their name.

In winter, food can be scarce for birds. You can make your own food cake to help them.

You will need:
8 ounces of suet, lard or shortening
1 pound of seeds, nuts, cookie crumbs, cake and other scraps

Ask an adult for help. First melt the fat, and mix it thoroughly with the seed and scraps. Pour it into an old yogurt tub or similar container, and leave it to cool and harden. Remove the cake from the container. Make a hole through the cake, put a string through the hole and hang it from a tree outside.

◄ The peregrine falcon does not just fold its wings and fall like many birds, it actually pushes itself down toward the ground. This powered dive is called a stoop.

417

The swift spends nearly all its life in the air and rarely comes to land. It can catch prey, eat, drink, and mate on the wing. After leaving its nest, a young swift may not come to land again for two years, and may fly as far as 300,000mi (500,000km).

Swifts eat insects which they chase and catch in mid-air!

◄ The spine-tailed swift is thought to fly at speeds of up to 100mph (160km/h).

Swifts have long, slim wings that are perfect for their life in the air.

418

The greater roadrunner is a fast mover on land. It runs at speeds of 12mph (20km/h) as it hunts for insects, lizards, and birds' eggs to eat. It can fly but seems generally to prefer running.

Superb swimmers

419 **Penguins are the best swimmers and divers in the bird world.** They live in and around the Antarctic, which is right at the very south of the world. They spend most of their lives in water, where they catch fish and tiny animals called krill to eat, but they do come to land to breed. Their wings act as strong flippers to push them through the water, and their tail and webbed feet help them steer. Penguins sometimes get around on land by tobogganing over ice on their tummies!

Emperor penguin

420 **The gentoo penguin is one of the fastest swimming birds.** It can swim at up to 18mph (27km/h)—that's faster than most people can run! Mostly, though, penguins probably swim at about 3–6mph (5–10km/h).

421

The gannet makes an amazing dive from a height of 100ft (30m) above the sea to catch fish in the sea. This seabird spots its prey as it soars above the ocean. Then with wings swept back and neck and beak held straight out in front, the gannet plunges like a dive bomber. It enters the water, seizes its prey, and surfaces a few seconds later.

Northern gannet

QUIZ

1. From how high does a gannet dive?
2. How many kinds of penguin are there?
3. How fast can a gentoo penguin swim?
4. How long can an emperor penguin stay underwater?
5. Where do most kinds of penguin live?

1. 100ft (30m)
2. 18 3. 18mph (27km/h)
4. 18 minutes 5. Antarctica

▼ King penguins and emperor penguins regularly dive deeper than 800ft (250m). Emperor penguins have been timed making dives lasting more than 18 minutes.

King penguin

◄ There are about 18 different kinds of penguin. Most live in and around Antarctica.

Looking good!

422 **At the start of the breeding season male birds try to attract females.** Some do this by showing off their beautiful feathers. Others perform special displays or dances. The male peacock has a long train of colorful feathers. When female birds come near, he begins to spread his tail, showing off the beautiful eyelike markings. He dances up and down and shivers the feathers to get the females' attention.

423 **The male bowerbird attracts a mate by making a structure of twigs called a bower.** The bird spends many hours making it attractive, by decorating it with berries and flowers. Females choose the males with the prettiest bowers. After mating, the female goes away and makes a nest for her eggs. The male's bower is no longer needed.

424 **The male roller performs a special display flight to impress his mate.** Starting high in the air, he tumbles and rolls down to the ground while the female watches from a perch. Rollers are brightly colored insect-eating birds that live in Africa, Europe, Asia, and Australia.

Spotted bowerbird

Fawn breasted bowerbird

Black faced golden bowerbird

◄ Bowerbirds live in Australia and New Guinea.

▼ Female peacocks tend to choose the males with the most attractive feathers.

Cock-of-the-rock

425 The blue bird of paradise hangs upside-down to show off his wonderful feathers. As he hangs, his tail feathers spread out and he swings backward and forward while making a special call to attract the attention of female birds. Most birds of paradise live in New Guinea. All the males have beautiful plumage, but females are much plainer.

426 Male cock-of-the-rock dance to attract mates. Some of the most brightly colored birds in the world, they gather in groups and leap up and down to show off their plumage to admiring females. They live in the South American rain forest.

427 The nightingale sings its tuneful song to attract females. Courtship is the main reason why birds sing, although some may sing at other times of year. A female nightingale chooses a male for his song rather than his looks.

Night birds

428 Some birds, such as the poorwill, hunt insects at night when there is less competition for prey. The poorwill sleeps during the day and wakes up at dusk to start hunting. As it flies, it opens its beak very wide and snaps moths out of the air.

▲ As well as moths, the poorwill also catches grasshoppers and beetles on the ground.

430 The kakapo is the only parrot that is active at night. It is also a ground-living bird. All other parrots are daytime birds that live in and around trees. During the day the kakapo sleeps in a burrow or under a rock, and at night it comes out to find fruit, berries and leaves to eat. It cannot fly, but it can climb up into trees using its beak and feet. The kakapo only lives in New Zealand.

Kakapo

429 The barn owl is perfectly adapted for nighttime hunting. Its eyes are very large and sensitive to the dimmest light. Its ears can pinpoint the tiniest sound and help it to locate prey. Most feathers make a sound as they cut through the air, but the fluffy edges of the owl's feathers soften the sound of wing beats so the owl can swoop silently down to catch its prey.

431

Like bats, the oilbird uses sounds to help it fly in darkness. As it flies, it makes clicking noises which bounce off objects in the caves in South America where it lives, and help the bird find its way. At night, the oilbird leaves its cave to feed on the fruits of palm trees.

432

Unlike most birds, the kiwi has a good sense of smell to help it find food at night. Using the nostrils at the tip of its long beak, the kiwi sniffs out worms and other creatures hiding in the soil. It plunges its beak into the ground to reach its prey.

Kiwi

QUIZ

1. Where are the kiwi's nostrils?
2. Where does the kakapo live?
3. What does the oilbird eat?
4. What's special about the barn owl's feathers?
5. What does the oilbird use to help in fly in darkness?

1. At the end of its beak
2. New Zealand 3. The fruits of palm trees
4. They have fluffy edges
5. Sounds

189

Home sweet home

433 Birds make nests in which to lay their eggs and keep them safe. The bald eagle makes one of the biggest nests of any bird. The nest is made of sticks and is built in a tall tree or on rocks. It is used year after year. It can grow as large as 8ft (2.5m) across and 11ft (3.3m) deep—big enough for several people to get into!

434 The female hornbill lays her eggs in prison! The male hornbill walls up his mate and her eggs in a tree hole. He blocks the entrance to the hole with mud, leaving only a small opening. The female looks after the eggs and the male brings food, passing it through the opening. Once the eggs hatch the female has to remain safely in the hole with her young for a few weeks while the male supplies food.

▲ The bald eagle lives in North America. In 1782 the United States adopted the bald eagle as its national bird.

The male weaver bird twists strips of leaves around a branch or twig.

435 The male weaver bird makes a nest from grass and stems. He knots and weaves the pieces together to make a long nest, which hangs from the branch of a tree. The nest makes a warm, cosy home for the eggs and young, and is also very hard for any predator to get into.

Then, he makes a roof, and an entrance so he can get inside!

When it's finished, the long entrance helps to provide a safe shelter for the eggs.

436 The cave swiftlet makes a nest from its own saliva or spit. It uses the spit as glue to make a cup-shaped nest of feathers and grass.

437 The mallee fowl makes a temperature-controlled nest mound. It is made of plants covered with sand. As the plants rot, the inside of the mound gets warmer. The female bird lays her eggs in holes made in the sides of the mound. The male bird then keeps a check on the temperature with his beak. If the mound cools, he adds more sand. If it gets too hot he makes some openings to let warmth out.

Mallee fowl

438 The cuckoo doesn't make a nest at all—she lays her eggs in the nests of other birds! She lays up to 12 eggs, all in different nests. The owner of the nest is called the host bird. The female cuckoo removes one of the host bird's eggs before she puts one of her own in, so the number in the nest remains the same.

I DON'T BELIEVE IT!

Most birds take several minutes to lay an egg. The cuckoo can lay her egg in 9 seconds! This allows her to pop her egg into a nest while the owner's back is turned.

Great travelers

439 The Canada goose spends the summer in the Arctic and flies south in winter. This regular journey is called a migration. In summer, the Arctic bursts into bloom and there are plenty of plants for the geese to eat while they lay their eggs and rear their young. In the fall, when the weather turns cold, they migrate, this means they leave to fly to warmer climates farther south. This means that the bird gets warmer weather all year round.

▼ The Canada goose tends to return to its birthplace to breed.

▶ The Arctic tern travels farther than any other bird and sees more hours of daylight each year than any other creature.

440 The Arctic tern makes one of the longest migrations of any bird. It breeds in the Arctic during the northern summer. Then, as the northern winter approaches, the tern makes the long journey south to the Antarctic—a trip of some 9,000mi (15,000km)—where it catches the southern summer. In this way the tern gets the benefit of long daylight hours for feeding all year long.

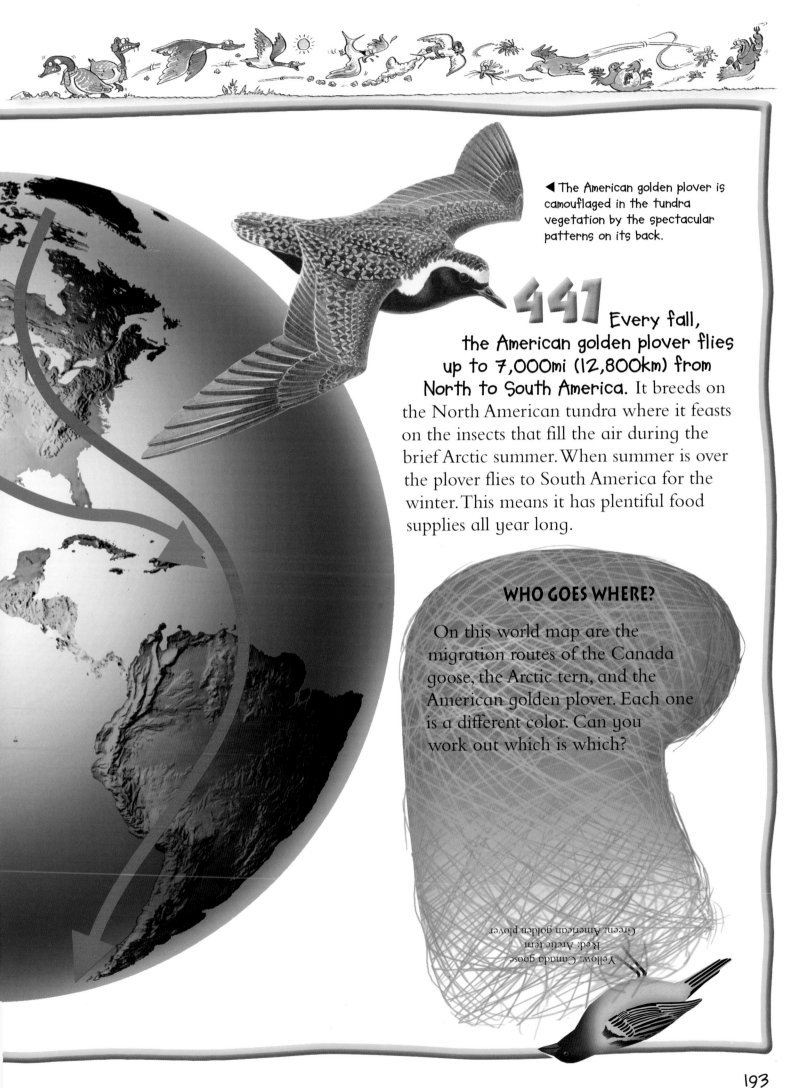

◀ The American golden plover is camouflaged in the tundra vegetation by the spectacular patterns on its back.

441 Every fall, the American golden plover flies up to 7,000mi (12,800km) from North to South America. It breeds on the North American tundra where it feasts on the insects that fill the air during the brief Arctic summer. When summer is over the plover flies to South America for the winter. This means it has plentiful food supplies all year long.

WHO GOES WHERE?

On this world map are the migration routes of the Canada goose, the Arctic tern, and the American golden plover. Each one is a different color. Can you work out which is which?

Green: American golden plover
Red: Arctic tern
Yellow: Canada goose

Desert dwellers

442 **Many desert birds have sandy-brown feathers to blend with their surroundings.** This helps them hide from their enemies. The cream-colored courser lives in desert lands in Africa and parts of Asia. It is hard to see on the ground, but when it flies, the black and white pattern on its wings makes it more obvious. So the courser runs around rather than fly. It feeds on insects and other creatures it digs from the desert sands.

▶ The elf owl is able to catch prey in its feet as it flies.

▲ Cream-colored courser

443 **Birds may have to travel long distances to find water in the desert.** But this is not always possible for little chicks. To solve this problem, the male sandgrouse has special feathers on his tummy which act like sponges to hold water. He flies off to find water and thoroughly soaks his feathers. He then returns home where his young thirstily gulp down the water that he's brought.

444 **The elf owl makes its nest in a hole in a desert cactus.** This prickly, uncomfortable home helps to keep the owl's eggs safe from enemies, who do not want to struggle through the cactus' spines. The elf owl is one of the smallest owls in the world and is only about 6mi (15cm) long. It lives in desert areas in the U.S. southwest.

▶ The sandgrouse lives throughout Asia, often in semidesert areas.

445

The cactus wren eats cactus fruits and berries. This little bird hops about among the spines of cactus plants and takes any juicy morsels it can find. It also catches insects, small lizards, and frogs on the ground. Cactus wrens live in the U.S. southwest.

I DON'T BELIEVE IT!

The lammergeier vulture drops bones onto rocks to smash them into pieces. It then swallows the soft marrow and even splinters of bone, bit by bit. Powerful acids in the bird's stomach allow the bone to be digested.

446

The lappet-faced vulture scavenges for its food. It glides over the deserts of Africa and the Middle East, searching for dead animals or the leftovers of hunters such as lions. When it spots something, the vulture swoops down and attacks the carcass with its strong hooked bill. Its head and neck are bare so it does not have to spend time cleaning its feathers after feeding from a messy carcass.

▼ The lappet-faced vulture has very broad wings. These are ideal for soaring high above the plains of its African home, searching for food.

Staying safe

447 **Birds have clever ways of hiding themselves from enemies.** The tawny frogmouth is an Australian bird that hunts at night. During the day, it rests in a tree where its brownish, mottled feathers make it hard to see. If the bird senses danger it stretches itself, with its beak pointing upward, so that it looks almost exactly like an old broken branch or tree stump.

Tawny frogmouth

448 **If a predator comes too close to her nest and young, the female killdeer leads the enemy away by a clever trick.** She moves away from the nest, which is made on the ground, making sure the predator has noticed her. She then starts to drag one wing as though she is injured and is easy prey. When she has led the predator far enough away from her young she suddenly flies up into the air and escapes.

▶ The killdeer lives in North America.

449 Guillemots find that there is safety in numbers. Thousands of these birds live together on clifftops and rocks. They do not build nests but simply lay their eggs on the rock or bare earth. Most land hunters cannot reach the birds on these rocks, and any flying egg thieves are soon driven away by the mass of screeching, pecking birds.

I DON'T BELIEVE IT!

The guillemot's egg is pear-shaped with one end much more pointed than the other. This means that the egg rolls round in a circle if it is pushed or knocked, so does not fall off the cliff.

Safe and sound

450 **A bird's egg protects the developing chick inside.** The yellow yolk in the egg provides the baby bird with food while it is growing. Layers of egg white, called albumen, cushion the chick and keep it warm, while the hard shell keeps everything safe. The shell is porous—it allows air in and out so that the chick can breathe. The parent birds keep the egg warm in a nest. This is called incubation.

1. The chick starts to chip away at the egg.

453 **The kiwi lays an egg a quarter of her own size.** The egg weighs 15oz (425g)—the kiwi only weighs 3.7lb (1.7kg). This is like a new baby weighing 38lb (17kg), most weigh about 7lb (3kg).

451 **The biggest egg in the world is laid by the ostrich.** An ostrich egg weighs about 3.3lb (1.5kg)—an average hen's egg weighs only about 2oz (50g). The shell of the ostrich egg is very strong, measuring up to 0.08in (2mm) thick.

452 **The smallest egg in the world is laid by the bee hummingbird.** It weighs about 0.012oz (0.3g). The bird itself weighs only 0.8lb (2g).

Ostrich egg

Bee hummingbird egg

4. The chick is able to wriggle free. Its parents will look after it for several weeks until it can look after itself.

2. The chick uses its egg tooth to break free.

3. The egg splits wide open.

454
The number of eggs laid in a clutch varies from 1 to more than 20. A clutch is the name for the number of eggs that a bird lays in one go. The number of clutches per year also changes from bird to bird. The gray partridge lays one of the biggest clutches, with an average of 15 to 19 eggs, and the common turkey usually lays 10 to 15 eggs. The emperor penguin lays one egg a year.

▲ Common turkey

QUIZ

1. How thick is the shell of an ostrich egg?
2. How many eggs a year does the emperor penguin lay?
3. How much does the bee hummingbird's egg weigh?
4. For how long does the wandering albatross incubate its eggs?
5. For how long does the great spotted woodpecker incubate its eggs?

1. 0.08in (2mm) 2. One
3. 0.01oz (0.3g)
4. up to 82 days 5. 10 days

455
The great spotted woodpecker incubates its egg for only 10 days. This is one of the shortest incubation periods of any bird. The longest incubation period is of the wandering albatross, which incubates its eggs for up to 82 days.

Deadly hunters

456 **The golden eagle is one of the fiercest hunters of all birds.** The eagle has extremely keen eyesight and can see objects from a far greater distance than humans can manage. When it spies a victim, the eagle dives down and seizes its prey in its powerful talons. It then rips the flesh apart with its strong hooked beak. The golden eagle usually has two eggs. However, the first chick to hatch often kills the younger chick. Golden eagles live in North America, Europe, North Africa, and Asia.

Steller's sea eagle

457 **The sea eagle feeds on fish that it snatches from the water surface.** The eagle soars over the ocean searching for signs of prey. It swoops down, seizes a fish in its sharp claws, and flies off to a rock or cliff to eat its meal. Spikes on the soles of the eagle's feet help it hold onto its slippery prey. Other eagles have special prey, too. The snake eagle feeds mostly on snakes and lizards. It has short, rough-surfaced toes that help it grip its prey.

▼ The golden eagle can soar for hours on its huge wings, searching for prey such as rabbits and other birds.

I DON'T BELIEVE IT!

Eagles like to make their nests in high places. One pair of sea eagles made their nest on top of a tall navigation beacon on the coast of Norway.

458 **The raven is the biggest of all the songbirds and a powerful hunter.** It grows up to 25in (63cm) long, it has a strong, hooked beak for attacking its victims, and it can run fast on the ground as well as fly when chasing prey. Rats and mice are its main catches, but it steals other birds' eggs and can even kill a creature as large as a rabbit. Ravens also scavenge for food, taking animals that are already dead or the remains of the kills of other hunters.

▶ Ravens live in North America, Europe, and parts of Africa and Asia.

Caring for the young

459 Emperor penguins have the worst breeding conditions of any bird. They lay eggs and rear their young on the Antarctic ice. The female penguin lays one egg at the start of the Antarctic winter. She returns to the sea, leaving her partner to incubate the egg on his feet. The egg is covered by a flap of the father's skin and feathers—so it is much warmer than the surroundings.

▲ While the male penguin incubates the egg he does not eat. When the chick hatches, the female returns to take over its care while the exhausted, hungry male finds food.

460 Pigeons feed their young on "pigeon milk." This special liquid is made in the lining of part of the bird's throat, called the crop. The young birds are fed on this for the first few days of their life and then start to eat seeds and other solid food.

461 Hawks and falcons care for their young and bring them food for many weeks. Their chicks are born blind and helpless. They are totally dependent on their parents for food and protection until they grow large enough to hunt for themselves.

▶ A sparrowhawk and her chicks.

A mallard, a type of duck, with her ducklings.

462
Other birds, such as ducks and geese, are able to run around and find food as soon as they hatch. Baby ducks follow the first moving thing they see when they hatch—usually their mother. This reaction is called imprinting. It is a form of very rapid learning that can happen only in the first few hours of an animal's life. Imprinting ensures that the young birds stay close to their mother and do not wander away.

I DON'T BELIEVE IT!
While male penguins incubate their eggs they huddle together for warmth. The birds take it in turns to stand on the outside and take the force of the freezing winds.

463
Swans carry their young on their back as they swim. This allows the parent bird to move fast without having to wait for the young, called cygnets, to keep up. When the cygnets are riding on the parent bird's back they are safe from enemies.

464
Young birds must learn their songs from adults. A young bird such as a chaffinch is born being able to make sounds. But, like a human baby learning to speak, it has to learn the chaffinch song by listening to its parents and practicing.

Deep in the jungle

465 Birds of paradise are among the most colorful of all rain-forest birds. Only the males have brilliant plumage and decorative feathers; the females are generally much plainer. There are about 42 different kinds of birds of paradise and they all live in the rain forests of New Guinea and northeast Australia. Fruit is their main food but some also feed on insects and spiders.

Harpy eagle

466 The Congo peafowl was only discovered in 1936. It lives in the dense rain forest of West Africa and has rarely been seen. The male bird has beautiful glossy feathers while the female is mostly brown and black.

Hoatzin

Congo peafowl

467 The harpy eagle is the world's largest eagle. It is about 3ft (90cm) long and has huge feet and long sharp claws. It feeds on rain-forest animals such as monkeys and sloths, which it catches in the trees.

468 The hoatzin builds its nest overhanging water. If its chicks are in danger they can escape by dropping into the water and swimming to safety. This strange bird with its ragged crest lives in the Amazon rain forest in South America.

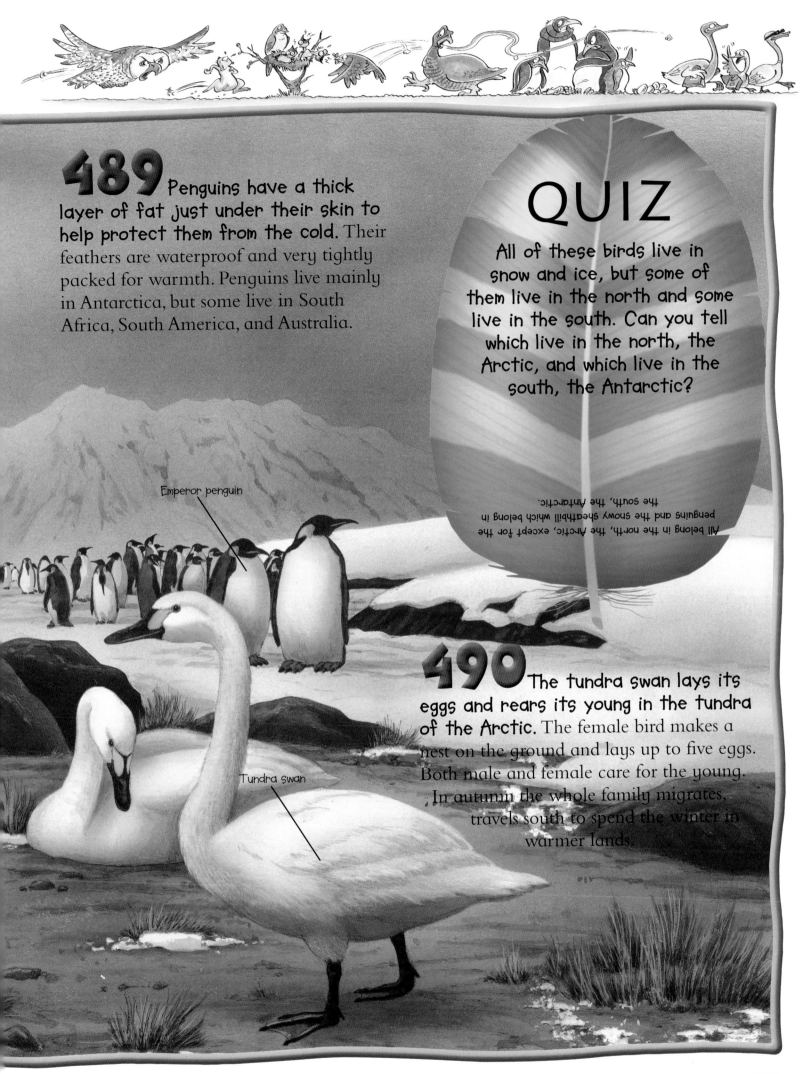

489 Penguins have a thick layer of fat just under their skin to help protect them from the cold. Their feathers are waterproof and very tightly packed for warmth. Penguins live mainly in Antarctica, but some live in South Africa, South America, and Australia.

QUIZ

All of these birds live in snow and ice, but some of them live in the north and some live in the south. Can you tell which live in the north, the Arctic, and which live in the south, the Antarctic?

All belong in the north, the Arctic, except for the penguins and the snowy sheathbill which belong in the south, the Antarctic.

Emperor penguin

Tundra swan

490 The tundra swan lays its eggs and rears its young in the tundra of the Arctic. The female bird makes a nest on the ground and lays up to five eggs. Both male and female care for the young. In autumn the whole family migrates, travels south to spend the winter in warmer lands.

Special beaks

491 The snail kite feeds only on water snails and its long upper beak is specially shaped for this strange diet. When the kite catches a snail, it holds it in one foot while standing on a branch or other perch. It strikes the snail's body with its sharp beak and shakes it from the shell.

◄ The snail kite lives in the southern USA, and Central and South America, but it is now very rare.

Toco toucan

493 The wrybill is the only bird with a beak that curves to the right. The wrybill is a type of plover which lives in New Zealand. It sweeps its beak over the ground in circles to pick up insects.

492 The toco toucan's colorful beak is about 8in (20cm) long. It allows the toucan to pick fruit and berries at the end of branches that it would not otherwise be able to reach. There are more than 40 different kinds of toucan, and all have large beaks of different colors. The colors and patterns may help the birds attract mates.

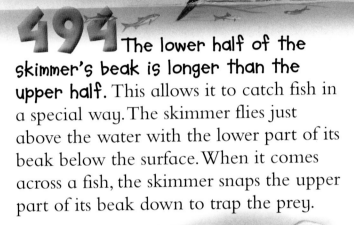

Black skimmer

494
The lower half of the skimmer's beak is longer than the upper half. This allows it to catch fish in a special way. The skimmer flies just above the water with the lower part of its beak below the surface. When it comes across a fish, the skimmer snaps the upper part of its beak down to trap the prey.

I DON'T BELIEVE IT!
The flamingo's legs may look as if they are back to front. In fact, what appear to be the bird's knees are really its ankles!

495
The flamingo uses its beak to filter food from shallow water. It stands in the water with its head down and its beak beneath the surface. Water flows into the beak and is pushed out again by the flamingo's large tongue. Any tiny creatures such as insects and shellfish are trapped on bristles in the beak.

496
The crossbill has a very unusual beak which crosses at the tip. The shape of this beak allows the bird to open out the scales of pinecones and remove the seeds it feeds on.

Birds and people

497 People buying and selling caged birds has led to some species becoming extremely rare. Some pet birds such as parakeets are bred in captivity, but others such as parrots are taken from the wild, even though this is now illegal. The beautiful hyacinth macaw, which used to be common in South American jungles, is now rare because of people stealing them from the wild to sell.

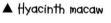

▲ Hyacinth macaw

Red-fan parrot

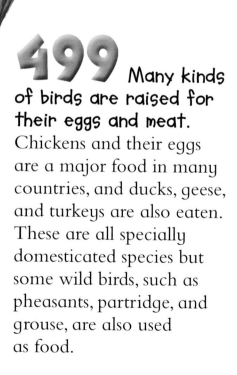

King parrot

498 In some parts of the world, people still keep falcons for hunting. The birds are kept in captivity and trained to kill rabbits and other animals, and bring them back to their master. When the birds are taken out hunting, they wear special hoods over their heads. These are removed when the bird is released to chase its prey.

499 Many kinds of birds are raised for their eggs and meat. Chickens and their eggs are a major food in many countries, and ducks, geese, and turkeys are also eaten. These are all specially domesticated species but some wild birds, such as pheasants, partridge, and grouse, are also used as food.

Starling

500 Starlings are very common city birds. Huge flocks are often seen gathering to roost, or sleep, on buildings. Starlings originally lived in Europe and Asia but have been taken to other countries and been just as successful. For example, 100 years ago 120 starlings were released in New York. Now starlings are among the most common birds in North America. The starling is very adaptable. It will eat a wide range of foods including, insects, seeds, and fruits, and will nest almost anywhere.

I DON'T BELIEVE IT!

In one city crows wait by traffic lights. When the lights are red they place walnuts in front of the cars. When the lights turn green the cars move over the nuts, breaking the shells. The birds then fly down and pick up the kernels!

Let's have some fun!

WORD SEARCH

There are birds hidden in this letter square. Can you find them all?

```
E A G L E P Q K
M Z U A N L S I
U R L D N N V W
M R L E O N B I
Y T V R A A E P
K A E D J W Z T
R H E A F S H N
```

Eagle, Emu, Gannet, Gull, Heron, Kiwi, Rhea, Raven, Swan.

QUIZ

1. Can you name a dinosaur that had no teeth?

2. Where did the famous Tyrannosaurus rex live?

3. What dinosaur is named after a young girl?

4. How did dinosaurs produce young?

5. Which dinosaur was also known as "Old Whiptail"?

1. Ornithomimus 2. North America 3. Leaellynasaura 4. By laying eggs 5. Diplodocus

QUIZ

1. What insect migrates from North America to South America every year?
2. What insect flashes bright lights as it flies?
3 How long might cicada larva live underground?
4. Which insect can walk on water?

1. Monarch butterfly 2. Firefly 3. More than 10 years 4. Pondskater

WHAT AM I!

What reptiles can you find in these jumbled up words?

1. Kanes
2. Gokec
3. Radzil
4. Letrut
5. Colidcoer
6. Kinks

1. Snake 2. Gecko 3. Lizard 4. Turtle 5. Crocodile 6. Skink

What doesn't belong?

Can you find the animals in these two pictures that shouldn't be there? Can you see a bird or mammal with the dinosaurs? Or a dinosaur in with the mammals?

Index

A

abdomen 99, 123
agamid lizard **67**
Age of Dinosaurs **10-11**, 17, 20, 24
Albertosaurus **25**
alligator snapping turtles 82, 85
alligators 60, 70, **88**, 89
Allosaurus 24, **25**
American golden plover **193**
Anatosaurus 29
anole lizard **66**
ant beetle **119**
antbird **211**
anteater 136, **160**, **163**
antelope 175
ant lion **109**
ants 95, **113**, 114, **115**
Apatosaurus 10, **19**, 21, 23
ape 160
aphids **108**, **115**
apollo butterfly **98**
arachnids 124, 126, 128, 130, 131
Arctic tern **192**, 193
Argentinosaurus 20, 28
armadillo **158**, **160**
armored dinosaurs 11, **32-33**
army ant **113**
axolotl **59**

B

baby **136-137**, **174-175**
baby dinosaurs 35, **36-37**
badger **215**
Barosaurus 10, 20, **21**
Baryonyx **19**, 22
bat 138, **144**, 190, 191, 160, 170
    flying fox **144**
    horseshoe **149**
    Queensland blossom 170
    vampire **144**, 145, **162**, 169
beak **178**, **179**, 185, 188, 189, 191, 195, **196**, 200, **201**, 208, 209 **210**, **214-215**
bear **139**
    brown **139**, **157**
    polar **146**, 157
beaver **150-151**
bee fly **119**
bees **112**, 113, 114, **132**

beetles **96**, **102**, **103**, 106, **120**
bird of paradise **187**, 204
    blue 187
bird of prey **180**, **181**, **209**
    Andean condor **180**
    collared falconet **181**
    osprey **209**
bird-dropping caterpillar **117**
bird-eating spider **113**, **129**
birds 10, 29, 40, 41, 48
blackfly 108
bluebottles 94
blue-tongued skink **87**
body heat 52, 54
bogong moths **121**
bolas spider **127**
bombardier beetle **113**
bone-head dinosaurs 44
bowerbird **186**
Brachiosaurus 20, **21**, 35
breathing 53, 58
breeding 57, **58-59**, 66, 77, 181, 184, 186, 202, 206, 207
bristletails 99
Brontotherium 11
buffalo 156
bugs 105, 122
bulldog ants 95, 113
bullfrog **68**
bumblebees 115
burrow 136, 153, 154, 155, 166, 168, **172-173**
butterflies **94-95**, 96, **97**, **98**, **116-117**, **119**, **120**

C

caddisflies 105
caecilians 75
California newt **65**
camel 154, 155
    bactrian camel **154**, 155
camouflage 65, 82, **84-85**, 109, 116, 128
Canada goose 192, 193
capybara 139, 160
caribou **146**, see reindeer
carnivorous dinosaurs (see also meat-eating dinosaurs) 10, 11
Carnotaurus **25**

cassowary 207
caterpillars 94, 95, **96**, **117**
Caudipteryx **48**
cave swiftlet 191
centipedes **124-125**
chameleon **65**, 70, 71, 84
cheetah **140**, 141
chick 192, **194**, 196, 198, 199, 200, **202-203**, 205, 207, 212, 213
chimpanzee 138, **152**, **164**
chuckwalla lizard **86**
cicadas **107**, **122**
claws 18, **22-23**, 25, 43, 44, 45
click beetle 101, 106, **107**
cobra **66**
cockchafers 111
cock-of-the-rock 187
cockroaches 102
Coelophysis **31**
colonies 114, 115
common toad **67**
Compsognathus **43**
Congo peafowl 204, 205
constricting snakes 82, 83
Corythosaurus **27**
courser **194**
courtship 96, 97, 98, **186-187**
crab spider **128**
craneflies 94, 107
Cretaceous Period 11
crickets **97**, 123,
crocodiles 10, 12, 14, 17, 41, 47, 70, 71, 87, **88**
    camouflage 84
    display 67
    eggs 60, 65, 89
crossbill **215**
cuckoo 191

D

daddy-longlegs 94, 107
damselflies 104, 105
death's-head hawkmoths **121**
deer **137**, 156
Deinocheirus **22**
Deinonychus 11, **22**
desert 139, 141, **154-155**, 176, **194-195**
    Gobi 154, 155

Sahara 139
devil's coach horse **103**
Diatryma 40
Dimetrodon 10, **11**, 13
dinosaurs 81, 88
Diplodocus 20, **21**, 37
dipper **209**
display **66**
dog 154, 156, **157**, 172
dolphin 142
　　river 169
dragonflies **98–99**, 104, 105
dragons 90
duck 182, **203**, 216
duck-billed dinosaurs 27, 29

E

eagle 148, 178, 201
　　bald **190**
　　golden **200–201**
　　harpy **204**
　　sea **200**, 201
　　snake 200
ears 26, 27
earwigs **95**, 106
echidna **136**
Edmontosaurus **18**, 19
egg **34–35**, 36, 37, 45, **136**, 148,
　　155, 157, **179**, 183, 186, 190,
　　191, 192, 194, **197**, **198–199**,
　　200, 201, 202, 206, 207, 208,
　　212, 213, 216
　　amphibians **56–57**, 59
　　reptiles **60–61**, 89
elephant 138
　　African 138, **139**
　　Asian 138, **175**
emu **206–207**
enemy 194, **194–195**, 203, 212
Eoraptor 14, 15
Erythrosuchus 10, **12**
Euoplocephalus 32, **33**
European toad **74**
evolution 12, **16**, 29, 41
extinction **40–41**
eyes 26, 27

F

falcon 202, **216**
false scorpion **131**
feathers 29, 48, 176, **178**, 179,
　　186–187, 188, 189, 191, 194,
　　195, 196, 202, 204, 205, 212
feet 184, 188, 200, 202, 204, **206**,
　　207, **209**, 210, **214**
female 180, 186, 187, 190, 191,
　　202, 204, 206, 207, 208,
　　212, 213
fighting 139, **158–159**
fire salamander 59, **83**
fire-bellied toad **85**
firefly **98**
five-lined tree skink **86**
flamingo **215**
flea beetles 94
fleas **100**
flier **144–145**
flies 94, 96, 99, **132**, 133
flower 180, 186, **211**
flying geckos **73**
flying lizards 90
flying snakes **73**
food 136, 137, 138, 139, 141, 144,
　　148, 149, 150, 157, 161, **162–**
　　163, 164, 166, 167, 169, 170,
　　173, 174, 179, 180, 183, 189,
　　190, 192, 193, 194, 195, 198,
　　199, 201, 202, 203, 204, 205,
　　207, 208, 209, 211
footprints 20, 21, 45
fossils 18, **44–45**, 46, 47, 48
fox 141, 166
　　fennec **154**
frilled lizard **67**
froglets 58
frogs 63, 88, **89**
　　breeding 57, 58
　　camouflage 84
　　display 67
　　hopping 72
　　senses 68
　　spawn **58**
　　swimming **78**
fruitflies 94
fur 134, 146, 147, 154, 155, **161**, 169

G

gannet **185**
gazelle 157
geckos 63, 64, 69, 73
gerbil **154**
giant salamander **62**
giant tortoises 60, **61**, 77, 81
Giganotosaurus 24, **25**, 48
gila monster **83**
giraffe **138**, 139
glider **144–145**
gnats 99
golden arrow-poison frog **83**
goliath beetle 94
goose 182, 203, 216
gorilla **138**
goshawk **179**
grass snake **79**
grasshopper **97**, **100**, 104, **120–121**,
　　123
great bustard **180**, 181
great crested newt **66**
great diving beetle 104, **105**
great silver water beetle 104
green tiger beetle **102**, 103
green turtle **81**
greenfly 108
ground bird **206–207**
ground snakes 75
grubs 96, 106, 110
guillemot **197**

H

habitats 50, 54, 55
hadrosaurs 29, 34, 36
hare 139, **141**
　　arctic 146, 147
hawk 178, **202**
hawksbill turtle **81**
hedgehog, desert **155**
herbivorous dinosaurs (see also
　　plant-eating dinosaurs) 10, 11
heron **208**
herpetology 74
Herrarasaurus 10, **14–15**
Hesperocyon **41**
Heterodontosaurus 10
hibernation 52, 56, **120**
hippopotamus 168

hoatzin **205**
honeybees 115, **132**
honeyguide bird **211**
hornbill **190**
horned dinosaurs 32, 33
hornet **112**, 113, **118**, 119
hornet moth **118**, 119
horseflies 94
horseshoe crab **131**
housefly **94**
hoverfly **76**, 77
human **138**, 139, 166, 167
hummingbird 176, **182**, **211**
     bee 176, **180**, 181, 182, 198, 199
hunter 148, 149, 156, 170
hunting bird **179**, **182**, **200–201**, **216**
hyena **149**
Hypsilophodon **22**
Hyracotherium **41**

I

Ichthyornis 29
ichthyosaurs **28**, 29, 40
iguanas **69**
Iguanodon **23**, 31, 43

J

jacana **208**, 209
Jacobson's organ **68**
jaguar **160**
Janenscia 10, 48, **49**
Javan bloodsucker **60**
Jesus Christ lizard **64**
Jobaria 10, 48, **49**
jumping spider **129**
jungle **160–161**
junglefowl 204
Jurassic Period 10

K

kangaroo **137**
     red **141**
katydids 123, **129**, **130**
keratin 53
killdeer **196**
king crabs **131**
kingfisher **208**, 209
kite, snail **214**

kiwi **189**, 198
     brown 199
koala **163**
Komodo dragon 90, **91**
krill 163

L

lacewing **108**, 109
ladybug **94**, **120**, 121
lake **168–169**
larvae 96–97
Leaellynasaura 48, **49**
leaf insects 116
leaf-cutter ants **115**
leather jacket 107
legs **14–15**, 30, 31
lemming **147**
lemur 145
leopard tortoise **81**
libellula dragonflies 121
lion 149, 152, 153, 156, **157**, 170
lizards 10, 14, 41
locusts **120–121**
louse **125**

M

macaw, hyacinth **216**
maggots 96, **124**, 125
Maiasaura **36–37**
mallee fowl **191**
Mamenchisaurus 20, **21**
mammal-like reptiles 13
mammals 10, 11, 13, 39, **40–41**
manatee **171**
marsupial **137**, **168**, 169
matamata turtle **81**
mating 56, 59, 66, 178, 183, **186–187**, 190, 214
mayflies 98, 105
meat-eating dinosaurs 10, 15, **24–25**, 29, 32
     claws 22
     teeth 18
meerkat **153**
Megalosaurus 43
Mesozoic Era **10**, 11, 17
metamorphosis **58**, 97
meteorite 11, 38

midges 98, 99
migration 81, 119, 120, **121, 192–193**
millipedes **124–125**, 131
mites **124**, 126
mole rat 153, **173**
mole cricket **122**, 123
molting 97
monarch butterflies **119**, 120, **121**
mongoose 153
monitor lizards **90–91**
monkey 160
     howler 160
     white-cheeked mangabey **171**
     woolly 161
monotreme **136**
mosquitoes 99, **133**
moths 94, 113, **121**
mouse 139, 149, 155, 162, 166, 167
mouse deer 139
mouthparts **108**, 109
musk ox **146**
Muttaburrasaurus **31**

N

narrow-headed turtle **81**
Nesodon 11
nest **34–35**, 36, 37, 45, 183, 186, **190–191**, 196, 197, 200, 205, 207, 208, 211, 212, 213, 217
newts **57**, 58, 65, 78
night 144, **148–149**, 162, 166, 168
nightjar **188**, 189
nostrils 26, 27
nymphs **97**, **103**, **104**, **105**

O

oilbird 189
okapi 161
opossum 168
     Virginia **175**
     water **168**, 169
Ornithomimus **19**
ornithopods 31
osprey **209**
ostrich 176, **180**, 181, 198, 199, **206**
otter 168
     river 168, 169

owl 148, **188**, 212
    barn **188**, 189
    burrowing 173
    elf **194**
    snowy **212**

P

pachycephalosaurs **44**
Pacific ridley turtle **79**
painted lady butterflies 121
palaeontologists **46**, 47
Pallas's cat 155
panda **174**, 175
    giant **162**, **163**
    red **148**, 149
pangolin **159**
Parasaurolophus **27**
parrot 179
    hawk-headed 216
    kakapo **188**, 189
    king **216**
    scarlet macaw 205
partridge 199, 216
    gray 199
peacock **186-187**
pelican **209**
penguin 184, 185, 203, 212, **213**
peregrine falcon **182**, 183
periodic cicada **107**
Permian Period 10
pigeon **202**
pit vipers **68**
plant eater 137, 157, 165, **170-171**
plant-eating dinosaurs 10, 16, 17, 37
    claws 22
    defenses 32
    teeth 18
Plateosaurus 10, **16**, 43
platypus **136**, **169**
plesiosaurs **28**, 29, 40
poisons **82-83**
pollination 132
pondskater **105**
poorwill **188**, 189
porcupine **158**
pouch 137, 168
prairie dog **172**
predator 137, 146, 158, 159, **160**,
    165, 175

pregnancy 147, 175
prey 140, 142, 144, 146, 147, 148,
    149, 156, 158, 159, **160**, 169,
    179,180, 182, 183, 185, 188,
    189,196, 200, 201, 208, 209,
    215, 216
preying mantis **97**, **108-109**
primate **138**, 148
pronghorn **141**
Protoarchaeopteryx **48**
Protoceratops **34-35**
ptarmigan 212
pterosaurs 29, 40
pupae **97**, 107
python 60, 75, 83

Q

queen termite **114**, 115
quetzel 205

R

rabbit 137, 166, **171**
racerunner lizards **76**
racoon 166
rain forest 160, 161, 171, 176, 187,
    204, 205, 207
raptors 29
rat 139, 167
    kangaroo **155**
    water **168**, 169
rattlesnakes 68, 83
raven **201**
reindeer **146**
reptiles 8, 10, 26
    eggs 34
    evolution 12, 13
    flying 29
    swimming 28
Rhamphorynchus **29**
rhea **207**
rhinoceros **159**
rhinoceros beetle 94
Riojasaurus 10, **17**
river **168-169**
roadrunner **183**
rocket frog 72
rove beetles **103**
Rutiodon 17

S

salamanders 53, **77**, 86
    breeding 57, 59
    hunting 70
    swimming 65, 78
saltwater crocodile **62**
sand lizard **55**
sandgrouse **194**
sauropods **20-21**, 23, 48, 49
    babies 37
    eggs 35
scorpionfly **95**, 131
scorpions 126, **130**, 131
sea otter 165
sea snake **79**
sea turtles 79, **82**
seal 142, 143, 147
    elephant **153**
    leopard **147**
    ringed 146
senses **68-69**
shieldbugs **117**
shingleback lizard **87**
shrew 138, 139
sidewinder snakes **75**
silverfish 99
Sinosauropteryx **48**
skimmer **215**
skin 8, 13, 42, 44, **52-53**, 54, 74, 89
skipjack 101
skunk **158**, 159
sloth **161**
slow worm **61**
snakes 54, 68, 71
    camouflage 85
    eggs 60, 61
    flying **72**
    poisonous 82
    swimming 79
snapping turtles 82
snow bunting **212**
softshell turtle **81**
solifuge 131
spadefoot toad **55**
spiders **113**, **126-127**, **128-129**,
    131, 132, **133**
Spinosaurus 11, **25**
spitting spider 127
springtails 99, **101**, 106

squirrel 145, 172
stag beetle **96**, 111
starling **217**
Stegoceras **44**, 45
Stegosaurus 9
stick insects **92**, **116**
stonefly **103**, 105
Struthiomimus **28**
sun spider **131**
Surinam toad **59**
swan **178**, 179, **203**, **213**
swimmer **142–143**, 146, 149, 165,
    168, 169

T
tadpoles **58**
tapir **161**
tarantula **113**, **129**, 131
Tarbosaurus 11, **18**
tarsier **148**, 149
tawny frogmouth **196**
teeth 15, **18–19**, 44, 45
    babies 37
    predators 25
    sauropods 20
termites 106, **114**, 115, **133**
terrapins 80
territory 66, 67
Tertiary Period 11
thecodonts 13
Therapsids 13
thornbug **116**
Thrinaxodon 10, **13**
thrush, song **179**
Thylacosmilus 11
ticks **124**, 125, 126
tiger **156**
tiger salamander **83**
toads 68, 72, 88, 89
    breeding 57, 58
    camouflage 84
    display 67
    swimming 78
tokay gecko **64**
tortoises 76, 77, **80–81**
    camouflage 84
    display 67
    eggs 60
    shell 64

toucan, toco **214**
trapdoor spider **128**
tree frogs 67, 72
Triassic Period 10, 17
Triceratops **32–33**
Troodon **26**, 42
tuatara **77**
turkey **199**, 216
turtles 28, 41, 64, 79, **80–81**
Tyrannosaurus 18, 19, 24, 32
    eggs 35
    rex 11, **25**

V
Velociraptor **29**
viceroy butterfly **119**
vulture **180**
    lappet-faced **195**
    lammergeier 195

W
walrus **147**
wandering albatross **181**, 199
warning colors 83, 119
wasps 108, 112, 114, **115**, 118, 119
water dragon lizards **76**
water spider 127
weaver bird **191**
web-footed gecko **69**
weevil beetles 94
whale 138, 142, 143, 174
    blue **138–139**, **163**, **174**, 175
    killer 142, 143
    pilot 153
white butterfly **94–95**
wing 176, **178**, **181**, 182, **183**, 184,
    185, 194, **195**, 200–201
woodpecker **210**
    great spotted 199
wireworm 106, **107**
witchety grubs 111
wolf 141, 152, 156
wolf spiders **128**
wood ants 115
woodlouse **125**
wood moths 111
worker termite **114**
workshops 15, 27

wren, cactus **195**

Z
zebra **157**, **170**